JN232992

反応速度論
第3版
慶伊富長 著

東京化学同人

序

　本書は，体系の論理構造・方法の有効性からみた"反応速度論"である．化学，化学工学，物質科学，材料科学，環境科学系の学部，大学院の学生諸君や若手研究者に必須な基礎学であると信じている．

　20 世紀反応速度論は盛大に開幕した．van't Hoff の現象論，Arrhenius の活性分子説，Bodenstein の気体反応研究，Ostwald の触媒論．それから 100 年，反応速度論は Haber-Bosch のアンモニア合成からの近代化学プロセス工業発展に学問的基礎を提供した．技術発展は基礎科学のさらなる発展を刺激する．反応速度論の 20 世紀，前半は理論の時代であり後半は実験の時代であった．

　筆者は 1942 年から今日まで反応速度論を専攻してきた．恩師堀内寿郎先生に倣い，一，二の表面反応の解明に熱中してきたのみで，反応速度論全般に通じているとはいうべくもない．たまたま，畏友 植木 厚・小澤美奈子（東京化学同人 前社長・社長）両氏のご援助により，大学の講義を 1969 年に出版したところ教科書として過分な評価をいただいた．以来版を重ねて 30 年，今日に至った．

　科学技術は情報化時代を迎えて混乱し，大学教育また大変動に直面している．専門知識情報の氾濫が基礎科学・応用科学・工学・技術の区分階層をあいまいなものにしている今日，科学技術者・研究者を目指す若き学生諸君のために本書を抜本的に書き改める義務を感じた．

　科学技術に人生の知的冒険をかけようとする若き学生諸君が大学で把握すべきものは，情報を取捨選択する鋭い勘と自分で考える勇気と自信である．本書"反応速度論"は筆者の体験的把握を学生諸君の参考に供するものである．

　大改訂に際して本多卓也教授，吉原経太郎教授，大倉一郎教授，蓮実文彦教授の貴重なご意見をいただいた．計算の細部にまで克明なチェックの労を惜しまれなかった東京化学同人の高林ふじ子，後藤よりこ両氏には感謝の言葉もない．

2000 年 12 月 10 日

慶　伊　富　長

従来ノ化学事業ヲ通観スルニ…畢竟原子運動ヨリ生スル変化ノ結果ヲ研究シタルモノニシテ，変化中ノ現象ニ関スルモノニ非サルナリ．即チ時ノ元素ヲ含有セサルモノナリ．
　是ニ由テ之ヲ観レハ化学輓近ノ進歩実ニ驚クヘキト雖モ之レ皆ナ化学静止学上ノ進歩ニ外ナラサルナリ．化学運動学ナルモノハ今ニ未開ノ学科ト言ヒテ然ルヘキカ如シ．而シテ此学科ノ進歩セサル中ハ化学一般ノ進歩迚モ覚束ナキナリ．……

桜　井　錠　二
（東京化学会誌）
明治 18 年（1885）

桜井　錠二（1858～1939）：1882 年東京大学教授となる．理化学研究所副所長，帝国学士院長を歴任．日本学術振興会を創立．わが国物理化学の草分け．

目　　次

1. 反応速度論の性格 …………………………………………1
　1・1　反応速度論とは …………………………………………1
　1・2　反応速度をどう表すか …………………………………3
　1・3　反応式から速度式を予測できるか ……………………5
　1・4　逆反応の速度式 …………………………………………8

2. 反応系の熱力学 ……………………………………………10
　2・1　反応式は質量不変則である ……………………………10
　2・2　反応の熱力学的定義 ……………………………………11
　2・3　反応の熱力学的駆動力：化学親和力 …………………13
　　　　・ゲーテの"親和力" …………………………………17

3. 反応速度の測定 ……………………………………………19
　3・1　速度の定義と測定原理 …………………………………19
　3・2　速度式の決め方 …………………………………………22
　3・3　活性化エネルギーの決め方 ……………………………27

4. 反応経路の理論 ……………………………………………29
　4・1　複合反応と素反応 ………………………………………29
　4・2　逐次反応の速度：定常状態近似法 ……………………30
　4・3　律速段階 …………………………………………………32
　4・4　化学量数 …………………………………………………34
　4・5　平衡付近の速度則：緩和型速度式と緩和時間 ………35
　　　　・いかなる反応も平衡付近では必ず緩和型速度式
　　　　　となることの証明 …………………………………36

5. 素反応の理論 ——活性分子とその衝突—— ……………………38
- 5・1 素反応理論の出発点：アレニウス式……………………………38
- 5・2 気相素反応の速度データ…………………………………………41
- 5・3 McC. Lewis の活性分子衝突説…………………………………43
- 5・4 反応の放射説と衝突説……………………………………………45

6. 遷移状態理論 ………………………………………………………47
- 6・1 Arrhenius の活性分子と衝突状態………………………………47
- 6・2 反応ポテンシャル曲面……………………………………………49
- 6・3 Eyring の活性錯合体理論………………………………………52
- 6・4 活性化エントロピー………………………………………………57
- 6・5 遷移状態理論の有効性と限界……………………………………59
  - ・M. Polanyi 学派 …………………………………………………62

7. 気 相 反 応…………………………………………………………64
- 7・1 単分子反応…………………………………………………………64
- 7・2 分子線による反応の研究（分子線交差法）……………………66
- 7・3 連鎖反応と爆発反応………………………………………………67
- 7・4 衝撃波による反応研究……………………………………………71

8. 溶 液 反 応…………………………………………………………73
- 8・1 溶液反応の速度論…………………………………………………73
- 8・2 温度ジャンプ法……………………………………………………75
- 8・3 超高速分光法：ポンプ-プローブ法………………………………76
- 8・4 溶液反応の連続体理論と遷移状態理論…………………………77

9. 表 面 反 応…………………………………………………………80
- 9・1 表面反応に特徴的な実験的速度式………………………………80
- 9・2 Langmuir 吸着式と吸着速度論…………………………………83
- 9・3 吸着平衡の統計力学表示…………………………………………86
- 9・4 表面素反応と反応経路：堀内理論………………………………88

10. 触媒反応, 酵素反応 ……………………………94
- 10・1 触媒の定義: Liebig と Ostwald ……………94
- 10・2 触媒反応の経路 ……………………………95
- 10・3 酵素反応 …………………………………96

11. 重 合 反 応 ………………………………101
- 11・1 重合反応 …………………………………101
- 11・2 重合反応の速度論 ………………………103
- 11・3 共重合反応の速度 ………………………108

12. 反応速度の経験則 ………………………110
- 12・1 反応速度の経験則 ………………………110
- 12・2 堀内-Polanyi 則 …………………………112
- 12・3 補償効果 …………………………………115
- 12・4 ポテンシャル曲面の Polanyi 則 …………116

参 考 文 献 …………………………………………117
索　　　引 …………………………………………121

1

反応速度論の性格

1・1 反応速度論とは

　反応速度論は化学反応の速度を取扱う分野の名称である．英文では 20 世紀初頭から chemical kinetics である．

　kinetics というのはつぎのように力学の一分科である．

　　kinetics　　（動力学）　⎫
　　kinematics　（運動学）　⎬ dynamics（動力学）⎫
　　statics　　　（静力学）　⎭　　　　　　　　　　⎬ mechanics（力学）または dynamics

kinetics は運動を起こす力の作用を，kinematics は運動それ自体を取扱う．反応速度を取扱う分野に kinetics が最適であるとする理由は必ずしも明確ではない．歴史的にみると，Berthollet（ベルトレー）の statique chimique（chemical statics 化学静力学）(1803)，Berthelot（ベルテロー）の mécanique chimique（chemical mechanics 化学力学）(1879)，van't Hoff（ファント・ホッフ）の dynamique chimique（chemical dynamics 化学動力学）(1884)，そして気体反応の速度研究の道を開いた Bodenstein（ボーデンシュタイン）が 1898 年に使用して以来 chemische Kinetik（chemical kinetics）に固定した．1960 年代から chemical dynamics も使われるようになった．特に 1990 年辺りからは chemical kinetics and molecular dynamics と表記する傾向が強くなってきた．こういった名称の変化は，学問の発展に対応している．特に近年の傾向は，反応速度を分子の衝突とみる気体運動論（kinetic theory of gases）の立場から，原子分子の

ミクロな状態変化としてとらえようとする立場の台頭を反映している．科学における定義や名称というものは学問の発展とともに変わるものである．

わが国では本書の冒頭に引用した桜井錠二博士の文章にみるように，化学運動学が最初に使用されていた様子である．発表の時期からみて van't Hoff の chemical dynamics に対応させたものと思われる．その後化学動力学とよばれていたが，1950 年に学術用語統一の努力によって反応速度論と変わったものである．

反応速度論の目的は，反応の速度が反応によって異なり，また条件によって変わるのはなぜであるか，を明らかにすることである．最終目標は，化学反応に関与している分子，原子の性質から実際に起こる反応速度を予言できるようになることである．現在の反応速度論は簡単な原子・分子間の反応については最終段階に近づいているが，全般的にはまだかなり手前の発展段階にあるといわなければならない．しかしながら現在までに確立された体系から，つぎのような発言をすることはできるのである．すなわち，

現在の反応速度論によれば，
1) 多くの反応の速度は少数のルール（速度則）で表すことができる．（**速度記述の方法**）．
2) 速度則を利用して，未知の反応速度を測定する有効な方針をたてることができる（**速度測定の方法**）．
3) 速度則を利用して，速度をコントロールする有効な方針をたてることができる（**速度制御の方法**）．
4) 速度則に基づいて，化学反応の実際の進行状態を推定することができる（**速度解釈の理論**）．

1), 2) は反応速度の記述や測定の方法であり，基礎である．3) は応用であり，**工業反応速度論**あるいは**反応工学**（chemical reaction engineering）といった化学工学分野の化学的基礎をなしている．4) は，いわゆる**反応機構，反応メカニズム**（reaction mechanism）を明らかにするために最も重要なものであり，基礎化学における反応速度論の学問的意義を示すものである．

最近はピコ秒（10^{-12} s）以内に終わってしまうような**超高速反応**を実験的に観測できるようになった．ピコ秒の千分の一，すなわちフェムト秒（10^{-15} s）刻みでの反応観測に先鞭をつけた Zewail（1999 年度ノーベル化学賞受賞）は，

"フェムト秒化学"の時代に入ったと主張している．しかし，現在のところ，化学反応速度論の基礎の枠組みに変化は起こっていない．

反応速度論は反応速度を対象とする方法である．したがって，反応が有機化学に属するものであれ無機化学に属するものであれ，溶液中で起こるものであれ，大気圏内で起こるものであれ，その速度を取扱うときには反応速度論を用いなければならない．さらに反応速度論は，原子核反応（核反応）や拡散・結晶成長などにも適用されてきたし，経済成長の議論にも影響を与えてきた．本書は有効な体系としての反応速度論を，理工系大学教育に必須な基礎として概説したものであるが，人文・社会科学系大学院教育の教養としても役立つように記述した．

1・2　反応速度をどう表すか

(1・1)式で表される反応

$$A \longrightarrow B \qquad (1・1)$$

の反応速度を表すのには，どうすれば最もよいか．A が消費される速さでも，B が生成する速さでもよいが，A や B の質量で速さを表すと具合が悪い．反応溶液や反応器の容積によって速さは異なった値となるからである．そうならないように，**濃度（または分圧）の時間的変化**によって反応速度を表す．いま，1 時間の反応のあとに，A の濃度が 0.24 mol dm^{-3} だけ減少したとする．

$$r = \frac{0.24 \text{[mol dm}^{-3}\text{]}}{60 \text{[min]}} = 4 \times 10^{-3} \left[\frac{\text{mol}}{\text{dm}^3 \text{ min}}\right]$$

は，この 1 時間についての**平均速度**である（図 1・1 参照）．

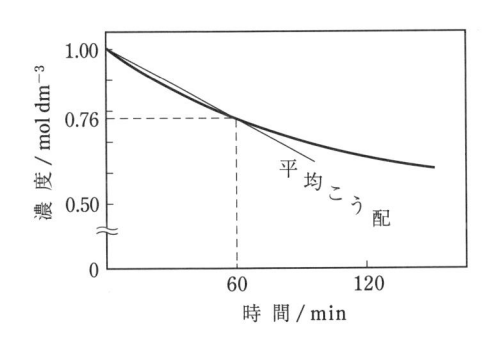

図 1・1　濃度-時間曲線

一般に，長い時間についての平均速度と短時間についての平均速度とは値が異なる．このことは図1・1の例からもわかるように，濃度と反応時間との関係を表す曲線が上方に凹形となっていることに原因がある．ふつう，**反応速度 r は曲線のこう配の絶対値をもって表す**．

$$r = -\frac{d[A]}{dt} = \frac{d[B]}{dt} \tag{1・2}$$

$[A], [B]$ は，A, B の濃度である．このように表した速度 r も反応時間とともに変化する．ところが大変具合のよいことには，異なる濃度から反応させた場合の濃度-時間曲線と比較するとわかるように，同じ濃度のときの r は等しいのである．

反応速度は濃度によって決まり，反応の進行とともに濃度が変化するために時間とともに変化するのである．このことは重要なことである．たとえば，k を定数として

$$-\frac{d[A]}{dt} = k[A] \tag{1・3}$$

のように表すことができるのである．(1・3)式を積分して，A の初濃度を $[A]_0$ と書けば，

$$[A] = [A]_0 e^{-kt}$$

が得られるから，反応速度 r の時間的変化の様子は，

$$r = -\frac{d[A]}{dt} = k[A]_0 e^{-kt} \tag{1・4}$$

であることがわかる．したがって，時間とともに変わる反応速度 r も，(1・3)のような表式で表すことができるならば，時間によらない定数 k によって代表させることができることになる．

多くの反応の速度は，一般式として

$$r = k[A]^l[B]^m[C]^n \tag{1・5}$$

のような表式で表すことができる．このような表式を**速度式**（rate equation），k を**速度定数**[†]（rate constant），$l+m+n$ を**反応の反応次数**（order of reac-

---

[†] k を単位濃度（たとえば $1\,mol\,dm^{-3}$）における速度という意味で比速度（specific rate）とよぶが，現在はあまり使用されていない．

tion)，l, m, n を A, B, C についての，すなわち**特定成分についての反応次数**という．特別な場合を除き，反応の反応次数 $l+m+n$ は 3 以下である．

一般に，反応速度は温度が高くなると速くなる．これが反応速度の最大の特徴といってよい．もちろん，k が温度とともに大きくなるためである．まったく具合がよいことに，k の温度変化はどんな反応の場合でも次式によって表すことができる．

$$k = A e^{-E/RT} \tag{1・6}$$

T は反応温度（絶対温度），R は気体定数，A と E とは反応に固有な定数で**頻度因子**（frequency factor）と**活性化エネルギー**（activation energy）とよばれている．速度式には

$$r = \frac{k[\mathrm{A}]^l[\mathrm{B}]^m}{1 + (k'[\mathrm{C}]/[\mathrm{B}])} \tag{1・7}$$

のような形式もある．

❏ **問　題**　常温付近で温度が 10 °C 上がると反応速度はほぼ 2 倍となる，とよくいわれる．そのような場合，活性化エネルギーはどれほどか？

[**解　答**]　300 K から 310 K に温度が上がったとし，$R=8.3\,\mathrm{J\,K^{-1}\,mol^{-1}}$ として (1・6) 式を用いて計算すると，53 kJ mol^{-1} となる．要するに活性化エネルギーが 50〜80 kJ mol^{-1} 程度のとき（このような場合が多い）には，10 °C 上がると速度がほぼ 2 倍となる．

1・3　反応式から速度式を予測できるか

ある専門書につぎのように書いてある．

"一般に

$$a\mathrm{A} + b\mathrm{B} + c\mathrm{C} + \cdots \longrightarrow a'\mathrm{A}' + b'\mathrm{B}' + c'\mathrm{C}' + \cdots \tag{1・8}$$

で示される反応があるとき，その速度 v は，

$$v = k[\mathrm{A}]^a[\mathrm{B}]^b[\mathrm{C}]^c\cdots \tag{1・9}$$

となる．これを**動的な質量作用の法則**(law of kinetic mass action)という．この法則は気体相互の反応だけでなく液体や溶液内の反応にも，反応系が均一ならばつねに成立する法則である"（式番号と反応次数記号は著者による．あとは原文のまま）．

また別のある教科書には，

"(1・8) なる化学反応で左から右へ進む速さを $\vec{v}$ とすれば，質量作用の法則により，

$$\vec{v} = \vec{k}[A]^a[B]^b[C]^c\cdots \qquad (1 \cdot 10)$$

である．……実際に観測される反応次数は質量作用から予想される反応次数と必ずしも等しくない．前者を速度論的反応次数，後者を化学量論的反応次数といって区別することもあるが，反応速度論で重要なのはもちろん前者であるので，通常反応次数といえば速度論的次数をさすことにする．"

これらと似たようなことを書いている教科書はかなり多い．

さて，最初の引用文は，反応式(1・8) の速度は (1・9)式となる，とはっきりいい切っている．後の引用文の方は，(1・10)式となるが実際とは違うことがあるともいっている．

これらの記述は誤りである．**反応式から速度式を予測する動的な質量作用の法則とか質量作用の法則とかいう法則は存在しないのである**．ではなぜ引用文のような誤りが起こるのかを少し説明しよう．

よく知られているように，**質量作用の法則**（law of mass action）とよばれているものは，反応(1・8) が平衡になっているとき，濃度間に，

$$K_C = \frac{[A']^{a'}[B']^{b'}[C']^{c'}\cdots}{[A]^a[B]^b[C]^c\cdots} \qquad (1 \cdot 11)$$

が成立することを主張するものである．K_C は**平衡定数**(equilibrium constant)とよばれ，温度のみの関数である．この法則は熱力学から導き出すことができる．熱力学を用いないで，わかりやすくこの法則を説明しようとする教科書は，この法則を最初に導き出した Guldberg（グルベルグ）と Waage（ウォーゲ）(1867) のやり方をそのまま引用する．すなわち，反応式(1・8) の左から右への速度 $\vec{v}$ に (1・10)式を仮定し，つぎに逆向きの速度 $\overleftarrow{v}$ に

$$\overleftarrow{v} = \overleftarrow{k}[A']^{a'}[B']^{b'}[C']^{c'}\cdots \qquad (1 \cdot 12)$$

を仮定する．そして反応が平衡になったときには，

$$\vec{v} = \overleftarrow{v} \qquad (1 \cdot 13)$$

でなければならないことを利用し，(1・10)式と (1・12)式とを等しいとおく．

そうすれば,

$$\frac{\vec{k}}{\overleftarrow{k}} \equiv K_C \qquad (1\cdot14)$$

と書いて質量作用の法則 (1・11) が得られることになるのである．ところが，最後の結果が正しいからといって，仮定された速度式 (1・10) や (1・12) も正しいとはいえないのである．たとえば，

ホスゲン生成反応,

$$CO + Cl_2 \longrightarrow COCl_2 \qquad (1\cdot15)$$

の実測速度式は,

$$\vec{v} = \vec{k}\,[CO][Cl_2]^{\frac{3}{2}} \qquad (1\cdot16)$$

であり，逆反応の実測速度式は,

$$\overleftarrow{v} = \overleftarrow{k}\,[COCl_2][Cl_2]^{\frac{1}{2}} \qquad (1\cdot17)$$

である．これらはともに反応式 (1・15) から予想される速度式とは異なっている．しかし，(1・16) 式と (1・17) 式とを等しいとおけば，

$$K_C = \frac{\vec{k}}{\overleftarrow{k}} = \frac{[COCl_2]}{[CO][Cl_2]} \qquad (1\cdot18)$$

が得られる．これは反応式 (1・15) の質量作用の法則である．またつぎの例もよく知られている．

臭化水素の生成反応

$$H_2 + Br_2 \longrightarrow 2\,HBr \qquad (1\cdot19)$$

の実測速度式は,

$$\vec{v} = \frac{k[H_2][Br_2]^{\frac{1}{2}}}{1+(k'[HBr]/[Br_2])} \qquad (1\cdot20)$$

である．質量作用の法則は,

$$K_C = \frac{[HBr]^2}{[H_2][Br_2]} \qquad (1\cdot21)$$

である．これらの例からもわかるように，化学平衡に質量作用の法則はつねに成立するが，反応速度に Guldberg と Waage の仮定が成立するとは限らないのである．

ただし，ヨウ化水素の生成反応

$$H_2 + I_2 \longrightarrow 2\,HI \qquad (1\cdot22)$$

のように実測速度式が,

$$\vec{v} = \vec{k}[\text{H}_2][\text{I}_2] \tag{1・23}$$

および,

$$\overleftarrow{v} = \overleftarrow{k}[\text{HI}]^2 \tag{1・24}$$

であり,質量作用の法則が,

$$K_c = \frac{[\text{HI}]^2}{[\text{H}_2][\text{I}_2]} \tag{1・25}$$

であるものも数多く存在しているのは事実である.簡単な反応しか知られていなかった当時,反応式から速度式も決まると考えたのも無理なことではなかったといえる.現在でも溶液内や気相の簡単な反応に対してGuldbergとWaageの仮定したような速度式を予想してみることは悪くない.しかし,それは実験して確かめてみなければ本当であるかどうかわからない.

要するに,**反応速度式は実測によって決めなければならない**.

1・4 逆反応の速度式

平衡系において系の内部に平衡を乱すような変化が起こっている場合には,つねにそれを打消す逆の変化が同時に起こっているのでなければならない.これを**詳細釣合いの原理**(principle of detailed balance)という.化学平衡系においては,化学反応は起こっているのであるが,逆反応が同じ速度で起こっているため濃度変化がないのである.このことを表しているのが(1・13)式,

$$\vec{v} = \overleftarrow{v} \tag{1・13}$$

である.

反応(1・22),

$$\text{H}_2 + \text{I}_2 \longrightarrow 2\,\text{HI} \tag{1・22}$$

の実測反応速度 r は,平衡付近まで次式によって表される.

$$r = \vec{k}[\text{H}_2][\text{I}_2] - \overleftarrow{k}[\text{HI}]^2 \tag{1・26}$$

この式を(1・23),(1・24)式と比較すれば,

$$r = \vec{v} - \overleftarrow{v} \tag{1・27}$$

であることがわかる.平衡となったときには,$r=0$ であり,互いに等しい速度となった $\vec{v}$ と $\overleftarrow{v}$ は,平衡濃度 $[\text{H}_2]_e, [\text{I}_2]_e, [\text{HI}]_e$ によってつぎのように表され

1・4 逆反応の速度式

る．
$$\vec{v}_e = \vec{k}\,[\text{H}_2]_e[\text{I}_2]_e$$
$$\overleftarrow{v}_e = \overleftarrow{k}\,[\text{HI}]_e^2$$

$\vec{v}_e = \overleftarrow{v}_e \equiv v_e$ を**平衡速度**という．平衡においても，平衡速度で右向きの反応とその逆反応が起こっている．一部の H_2 を重水素 D_2 に置換してやると DI が生成する．その速度を測定することによって平衡速度がわかる．

さて，詳細釣合いの原理を応用して，反応の実測速度式から逆反応の速度式を予測する方法を紹介しよう．

反応(1・22)において
$$\vec{v} = \vec{k}\,[\text{H}_2][\text{I}_2]$$
であった．逆反応 $\overleftarrow{v}$ の速度式を
$$\overleftarrow{v} = \overleftarrow{k}\,F([\text{H}_2], [\text{I}_2], [\text{HI}])$$
として，濃度の関数 $F([\text{H}_2], [\text{I}_2], [\text{HI}])$ をつぎのように求める．

(1・27)式を
$$r = \vec{v}\left(1 - \frac{\overleftarrow{v}}{\vec{v}}\right) \qquad (1\cdot28)$$
と書けば
$$\frac{\overleftarrow{v}}{\vec{v}} = \frac{\overleftarrow{k}\,F([\text{H}_2], [\text{I}_2], [\text{HI}])}{\vec{k}\,[\text{H}_2][\text{I}_2]}$$
は平衡において
$$1 = \frac{[\text{HI}]_e^2}{K_c[\text{H}_2]_e[\text{I}_2]_e} \qquad K_c = \frac{\overleftarrow{k}}{\vec{k}} \qquad (1\cdot29)$$
でなければならない．平衡まで速度式が変わらないとすれば
$$\overleftarrow{k} = \frac{\vec{k}}{K_c} \qquad F([\text{H}_2], [\text{I}_2], [\text{HI}]) = [\text{HI}]^2$$
である．すなわち，反応と逆反応の速度比
$$\frac{\overleftarrow{v}}{\vec{v}} = \frac{[\text{HI}]^2}{K_c[\text{H}_2][\text{I}_2]} \qquad (1\cdot30)$$
は，それぞれの速度と関係なく，質量作用の法則に支配されていることを利用すれば逆反応速度式をこのように予測することができる．

2

反応系の熱力学

2・1 反応式は質量不変則である

アンモニア合成反応

$$N_2 + 3H_2 \longrightarrow 2NH_3 \qquad (2 \cdot 1)$$

が進行し,各成分（N, H, A と略記）のモル数が $n_N^\circ, n_H^\circ, n_A^\circ$ から n_N, n_H, n_A に変化したとすると (2・2) 式が成立する.

$$\frac{n_N - n_N^\circ}{-1} = \frac{n_H - n_H^\circ}{-3} = \frac{n_A - n_A^\circ}{+2} = \xi \qquad (2 \cdot 2)$$

ξ は,反応(2・1)の**進行**を表すのに適した仮想成分のモル数であり,**反応進行度**（advancement of reaction）とよばれている.(2・2)式の各項の分母と分子に関係成分の分子量 M を乗じてやれば

$$\frac{m_N - m_N^\circ}{(-1)M_N} = \frac{m_H - m_H^\circ}{(-3)M_H} = \frac{m_A - m_A^\circ}{(+2)M_A} = \xi$$

ここで $m_A, \cdots$ は A, $\cdots$ の質量を表し,

$$m_A = n_A M_A, \cdots\cdots$$

である.分母と分子のそれぞれの総和の比は不変であるから,

$$\frac{(m_N - m_N^\circ) + (m_H - m_H^\circ) + (m_A - m_A^\circ)}{(-1)M_N + (-3)M_H + (+2)M_A} = \xi$$

分子は反応に伴う成分質量変化の総和であるから,質量不変の法則によってゼロ

である．反応が起こっている限り ξ は有限値であるから，したがって分母がゼロでなければならない．すなわち，

$$(-1)M_N + (-3)M_H + (+2)M_A = 0 \qquad (2\cdot3)$$

が**反応に対する質量不変則**である．この式の一つの表現，

$$1M_N + 3M_H = 2M_A \qquad (2\cdot4)$$

が**反応式**(2・1)にほかならない．

2・2 反応の熱力学的定義

　反応式を質量不変則とみなす限り，反応式各成分の係数（化学量論係数 stoichiometric coefficient）の絶対値そのものに意味があるわけではない．(2・4)式の両辺に任意の数を乗じても，すべて (2・3)式を満足するからである．しかし，ここでアンモニア合成の反応式を

$$N_2 + 3H_2 \longrightarrow 2NH_3 \qquad (2\cdot1)$$

と書く場合と

$$\frac{1}{2}N_2 + \frac{3}{2}H_2 \longrightarrow NH_3 \qquad (2\cdot5)$$

と書く場合を考えよう．モル数変化を微分記号で表すことにして（便宜上），(2・1)式からは

$$\frac{dn_N}{-1} = \frac{dn_H}{-3} = \frac{dn_A}{+2} = d\xi \qquad (2\cdot6)$$

であり，(2・5)式からは

$$\frac{dn_N}{-1/2} = \frac{dn_H}{-3/2} = \frac{dn_A}{+1} = d\xi \qquad (2\cdot7)$$

である．反応式の書き方によって明らかに異なった形となる．このことは平衡定数の違いとなって現れる．

　(2・1)式と (2・5)式の平衡定数（圧表示）は，それぞれ

$$K_P = \frac{P_A^2}{P_N P_H^3} \qquad (2\cdot8)$$

$$K_P = \frac{P_A}{P_N^{\frac{1}{2}} P_H^{\frac{3}{2}}} \qquad (2\cdot9)$$

であり，同じではない．物理化学や熱力学の教科書において，アンモニア合成反応の平衡定数値を示してある箇所をみればわかるように，**平衡定数の値を問題にするさいには，いかなる反応式についての平衡定数値であるかを必ず明記してある**．明記しなければ，平衡定数の値は無意味だからである．もちろん，すぐにわかるように，(2・8)式の K_P は (2・9)式の K_P の2乗である．このことは，(2・1)式が (2・5)式の両辺に2を乗じて得られることに相当する．しかし，K_P 値は同じではないのである．化学量論係数の絶対値をどうとるかということは，実際に反応を定量的に取扱う場合には問題となるのである．

反応熱も同様に，化学量論係数のとり方によって変わってくる．反応(2・1)の反応熱は反応(2・5)の反応熱の2倍なのである．反応熱の単位はいずれも kJ mol^{-1} であるから，ちょっと考えると矛盾しているようにみえる．アンモニア1 mol を生成する反応熱とみるならば同一の値となるはずだからである．このような奇妙なことも，反応に伴う熱とか自由エネルギーなどの単位となっている1 mol は，生成物についてではなく，(2・2)式に示した仮想成分 ξ (反応進行度)の1 mol であることに気がつけば，ただちに氷解する．反応(2・1)の反応熱は (2・6)式の dξ=1 mol，すなわち生成アンモニア2 mol についての値であり，反応(2・5)の反応熱は(2・7)式のdξ=1 mol，すなわち生成アンモニア1 mol についての値である．

このようにみてくると，熱力学の体系を重視する見方からは反応の定義をつぎのようにするのが，最もよいことになる．

反応は反応式によって定義する．すなわち，化学量論係数の値の一組によって反応を定義する．たとえば，反応(2・1) は

$$0 = (-1)\mathrm{N}_2 + (-3)\mathrm{H}_2 + (+2)\mathrm{NH}_3 \qquad (2・10)$$

によって，反応(2・5) は

$$0 = \left(-\frac{1}{2}\right)\mathrm{N}_2 + \left(-\frac{3}{2}\right)\mathrm{H}_2 + (+1)\mathrm{NH}_3 \qquad (2・11)$$

によって表す（反応式左辺の化学量論係数が負となるようにするのは，発熱を負号とする熱力学の約束に従っている）．

アンモニア合成反応について説明してきたが，熱力学における**反応の一般的定義式**は（成分を B_i と書けば）

2・3 反応の熱力学的駆動力：化学親和力

$$0 = \sum_i \nu_{B_i} B_i \qquad (2 \cdot 12)$$

である．ただし，B_i が反応式左辺の成分であればその化学量論係数 ν_{B_i} は負，右辺成分であれば ν_{B_i} は正であると約束する．この一般式(2・12)は任意数 l を乗じても，l で除しても成立するようにみえるが，すべての成分の ν の値が νl または ν/l となるから，熱力学的には異なる反応（異なる平衡定数値，反応熱値をもつという意味での）を表すものとなる．

反応に対する質量不変則（2・3）式は

$$\sum_i \nu_{B_i} M_{B_i} = 0 \qquad (2 \cdot 13)$$

となる．(2・12)式のように定義すると，反応進行度 ξ についての（2・6)式は

$$\frac{\mathrm{d} n_{B_i}}{\nu_{B_i}} = \mathrm{d}\xi \qquad (2 \cdot 14)$$

となり，反応進行度 ξ の時間的変化として定義される**反応の反応速度 r** は

$$r = \frac{\mathrm{d}\xi}{\mathrm{d}t}$$

$$= \frac{1}{\nu_{B_i}} \frac{\mathrm{d} n_{B_i}}{\mathrm{d}t} \quad [\mathrm{mol\ s^{-1}}] \geq 0 \qquad (2 \cdot 15)$$

となる．n_{B_i} が左辺成分であれば $\mathrm{d}n_{B_i}$ も ν_{B_i} もともに負であり，n_{B_i} が右辺成分であれば $\mathrm{d}n_{B_i}$，ν_{B_i} ともに正であるから，$\mathrm{d}\xi$ はつねに正値，したがって反応速度はつねに正値である．(2・15)式で表した反応速度は，系内物質が(2・12)式の反応によって変化する速度を与える．

2・3 反応の熱力学的駆動力：化学親和力

反応(2・1) が起こるさいに成立する（2・6)式の各項の分母と分子に関係成分の化学ポテンシャル μ を乗じると，

$$\frac{\mu_N \mathrm{d} n_N}{(-1)\mu_N} = \frac{\mu_H \mathrm{d} n_H}{(-3)\mu_H} = \frac{\mu_A \mathrm{d} n_A}{(+2)\mu_A} = \mathrm{d}\xi$$

が得られる．分母どうしの和と分子どうしの和の比はやはり $\mathrm{d}\xi$ であるから，

$$\mu_N \mathrm{d} n_N + \mu_H \mathrm{d} n_H + \mu_A \mathrm{d} n_A = \{(-1)\mu_N + (-3)\mu_H + (+2)\mu_A\}\mathrm{d}\xi$$

が成立する．したがって，一般式を用いれば

$$-\sum_i \mu_{B_i} \mathrm{d} n_{B_i} = \left(-\sum_i \nu_{B_i} \mu_{B_i}\right) \mathrm{d}\xi$$

ここで，反応(2・1)の左辺の化学ポテンシャルと右辺の化学ポテンシャルの差を**化学親和力**（chemical affinity）とよび，$\mathscr{A}$ と書けば，

$$\mathscr{A} = (\mu_N + 3\mu_H) - (2\mu_A) \tag{2・16}$$

一般式では

$$\mathscr{A} = -\sum_i \nu_{B_i} \mu_{B_i} \tag{2・17}$$

熱力学第二法則は，系内に不可逆的変化が起これば エントロピーが増加することを主張する．外部と質量交換のない系(閉じられた系という)内の化学反応はつねに不可逆的(irreversible)変化であるから対応するエントロピー発生を $d_{Ir}S$ と書けば，

$$T\,d_{Ir}S = -\sum_i \mu_{B_i} dn_{B_i} > 0 \tag{2・18}$$

となる†．すなわち，

$$T\,d_{Ir}S = \mathscr{A}\,d\xi > 0 \tag{2・19}$$

が成立する．(2・19)式の関係から，反応の起こる方向に関するつぎの重要な結論がひき出される．

$$\left.\begin{array}{l} \mathscr{A}>0 \text{ なら } d\xi>0, \quad \text{反応は左辺から右辺へ進む} \\ \mathscr{A}<0 \text{ なら } d\xi<0, \quad \text{反応は右辺から左辺へ進む} \\ \mathscr{A}=0 \text{ なら } d\xi=0, \quad \text{平衡} \end{array}\right\} \tag{2・20}$$

---

† 外部と，熱，仕事，質量の交換をする**平衡系**の内部エネルギー変化 dE は熱力学第一法則によって

$$dE = T d_e S - dW + \sum_i \mu_{B_i} dn_{B_i}$$

と表される（添字 e は平衡を示す）．$T d_e S$ は系への流入熱，dW は系に加えられた仕事である．書き換えると

$$T d_e S = dE + dW - \sum_i \mu_{B_i} dn_{B_i}$$

である．外部と質量交換をしない平衡系 ($dn_{B_i}=0$) は

$$T d_e S = dE + dW$$

であり，エントロピー変化 $d_e S$ はエネルギーと仕事の変化と釣合っている．いま，内部で化学反応が起これば，全体のエントロピー変化は第二法則によって増加しなければならないから，反応（不可逆）に伴うエントロピー変化を $d_{Ir}S$ と書くと

$$T d_e S + T d_{Ir}S = dE + dW - \sum_i \mu_{B_i} dn_{B_i} > 0$$

$T d_e S$ は $dE+dW$ と釣合っているから (2・18)式が成立する．外部との質量の交換がないから化学反応による質量変化 $\sum_i \mu_{B_i} dn_{B_i}$ は釣合う相手がない．Clausius（クラウジウス）は $T d_{Ir}S$ を非補償熱とよんだ．

2·3 反応の熱力学的駆動力:化学親和力

速度が遅すぎるため,
$$\mathcal{A} \neq 0 \quad \text{にもかかわらず} \quad d\xi = 0$$
である場合を**偽平衡**(false equilibrium)という.

以上から,反応が起こりうるためには,$\mathcal{A}$ がゼロでないことが必要であることがわかる.$\mathcal{A}$ がゼロになれば平衡に達し,それ以上反応は起こらない.**化学親和力 $\mathcal{A}$ を反応の熱力学的駆動力とよぶ**.つぎに $\mathcal{A}$ の値は具体的にどのように与えられるかを調べてみよう.

各成分(B_i で表す)の化学ポテンシャルは,系が理想系とみなせる場合には,濃度を $[B_i]$(標準濃度 $1\,\mathrm{mol\,dm^{-3}}$ を単位として),$[B_i]=1$ のときの化学ポテンシャルを $\mu_{B_i}^\circ$ と書くと

$$\mu_{B_i} = \mu_{B_i}^\circ + RT \ln [B_i] \tag{2·21}$$

または,分圧を P_{B_i}(標準圧力 $1\,\mathrm{bar}$,あるいは $1\,\mathrm{atm}$ 単位として),$P_{B_i}=1$ のときの値を $\mu_{B_i}^{\circ\prime}$ と書くと

$$\mu_{B_i} = \mu_{B_i}^{\circ\prime} + RT \ln P_{B_i}$$

である.理想系とみなせない場合(高濃度,高圧)では,濃度の代わりに活量,分圧の代わりにフガシティーを用いればよい.いま (2·21)式を (2·16)式に代入すれば,

$$\mathcal{A} = \mu_N^\circ + 3\mu_H^\circ - 2\mu_A^\circ - RT \ln \frac{[A]^2}{[N][H]^3} \tag{2·22}$$

を得る.平衡においては,$\mathcal{A}=0$ であり,各成分濃度は平衡濃度 $[B_i]_e$ となるから,(2·22)式より,

$$\mu_N^\circ + 3\mu_H^\circ - 2\mu_A^\circ = RT \ln K_c \tag{2·23}$$

ここで,

$$K_c = \frac{[A]_e^2}{[N]_e [H]_e^3}$$

K_c は濃度平衡定数である.濃度項の添字 e は平衡を示す.(2·23)式の関係を用いれば (2·22)式は,

$$\mathcal{A} = -RT \ln \left(\frac{1}{K_c} \frac{[A]^2}{[N][H]^3} \right) \tag{2·24}$$

分圧 P_{Bi} を濃度 $[B_i]$ の代わりに用いれば，圧力表示による平衡定数を K_P として，

$$\mathscr{A} = -RT\ln\left(\frac{1}{K_P}\frac{P_A^2}{P_N P_H^3}\right) \tag{2・25}$$

となる．したがって，温度 T における平衡定数値と組成がわかれば，$\mathscr{A}$ の値はただちに計算できる．

さて，ここで (1・30)式を思い出すと (2・24)式は

$$\mathscr{A} = -RT\ln\left(\frac{\vec{v}}{\overleftarrow{v}}\right) \tag{2・26}$$

であるから，正味の反応速度 (1・28)式は

$$r = \vec{v}(1-e^{-\mathscr{A}/RT}) \tag{2・27}$$

と書くことができる．平衡にきわめて近く，$\mathscr{A}/RT \ll 1$ であるときには $\vec{v}$ は平衡速度 $v_e (= \vec{v}_e = \overleftarrow{v}_e)$ とみなせるから

$$r \simeq \left(\frac{v_e}{R}\right)\left(\frac{\mathscr{A}}{T}\right) \tag{2・28}$$

と表すことができる．熱伝導，拡散，粘性などの物理的速度は，すべて熱力学的駆動力に比例している．$\mathscr{A}$ が熱力学的駆動力とよばれるのはこのためである．

❏ **問 題** アンモニア合成反応(2・1)が 450 ℃($T=723$ K)，全圧 100 bar で操業されるとき，組成 $N_2 : H_2 : NH_3 = 2 : 6 : 1$ （モル比）の混合気体はどちらの方向に反応を起こしうるか．ただし，$\frac{1}{2}N_2(g) + \frac{3}{2}H_2(g) \rightleftharpoons NH_3(g)$ の平衡定数値は，450 ℃において $K_P = 7.25 \times 10^{-3}$ （全圧 100 bar）であるとし，$R = 8.31$ J K^{-1} mol^{-1} を用いよ．

[**解 答**] $N_2(g) + 3H_2(g) \rightleftharpoons 2NH_3(g)$ の反応式では，平衡定数は $K_P{}^2 = (7.25 \times 10^{-3})^2$ となる点に注意して(2・25)式を用いると

$$\mathscr{A} = -RT\ln\frac{\left(\frac{1}{9}\right)^2}{(7.25 \times 10^{-3})^2 (100)^2 \left(\frac{2}{9}\right)\left(\frac{6}{9}\right)^3}$$

$$= 6.2 [\text{kJ mol}^{-1}] > 0$$

であるから，アンモニア生成の方向に起こる（この条件の平衡組成は，概略 $N_2 : H_2 : NH_3 = 0.21 : 0.62 : 0.17$）．

2・3 反応の熱力学的駆動力：化学親和力

ゲーテの"親和力"

　ゲーテの小説に"親和力"がある．1809年ゲーテ60歳の作品である．"ゲーテはT. O. Bergman（ベリマン）（1735～84）に由来するこの化学上の用語を小説の題名としたが，その場合は一つの合成物を破壊して新しい結合にもたらす力を意味した"["哲学辞典", p. 770, 平凡社 (1981)]．Bergmanの説（1775）は，"Aに対するCの親和力がBより大きければABはACに変わる"，である．"親和力"を読んでみると，地方貴族Aとその妻B，Bの縁戚C（若い女性）とAの友人D（工兵大尉）が絡んでの物語であり，当時不道徳だと物議をかもしたのもわかるが，面白いのはゲーテの化学知識である．

D：　出合うとたちまちお互いをつかまえあい相互に作用しあう物質のことを，われわれは親類関係とか親戚関係にあるといっています．アルカリと酸は正反対の性質をもっているのに，たぶんそれだからこそ，最も激しい勢いで互いに求め…新しい物質を形成するわけです．…

A：　親類関係が面白くなるのは別離とか分離とかいう現象を生み出してこそだ．

B：　…世間でよく耳にするその悲しい言葉は自然科学でも使うのですか．

A：　もちろんだよ．化学者は昔，分離術士とよばれていたくらいで…．

D：　…石灰石の一片を希硫酸につけると硫酸は石灰石をつかまえ石こうを形成します．ところが，気体の軟らかい酸（炭酸ガス）は逃げてしまうのです．つまり分離が行われ，新しい合成物が生まれたわけで…．

B：　…炭酸ガスがかわいそうです．空中をあてどなく放浪しなくてはならないから．

D：　炭酸ガスの方でその気になりさえすれば水と結びついて鉱泉となり…

B：　石こうの方はいい気なものだこと．

A：　…その点化学者の方がずっと親切だね．割を食うやつが出ないように必ず4番目のものをつけ加えるからね．

D：　…そうだ．これまで二つずつ結びついていた四つのものが，これまでの結合を解消し互いに新しい結合を生み出すからね．

これがゲーテの"親和力"の知識だがこのあと"水銀が球形になろうとするのも同じ"といっているからかなり正確である．

1809年のゲーテなんて古いと学生諸君は笑うかもしれない．しかし，前ページの会話の冒頭でつぎのように話されていることに注目してほしい．

D： 10年ほど前に習ったことで，最近の学説にマッチするかどうかわかりませんが．

A： （大声で）昔の人は，若いころ受けた教育にずっとしがみついていればよかった．ところが昨今は，5年ごとに習い直さないとすっかり流行から取り残されてしまうんだから．

（会話文は，浜川祥枝訳，"ゲーテ全集6"，第4章，潮出版社（1979）より概略引用した）．

3

反応速度の測定

3・1 速度の定義と測定原理

反応速度の熱力学的定義

$$r = \frac{d\xi}{dt}$$
$$= \frac{1}{\nu_{B_i}}\frac{dn_{B_i}}{dt} \quad [\text{mol s}^{-1}] \quad (2\cdot15)$$

は系(体積 V)内の反応進行度(モル数)ξ の時間的変化である．したがって体積 V が2倍となると速度の値は2倍となる．そうならないようにするには，

$$\frac{r}{V} = \frac{1}{V}\left(\frac{d\xi}{dt}\right) \quad [\text{mol dm}^{-3}\,\text{s}^{-1}] \quad (3\cdot1)$$

を反応速度とすればよい．さらに，反応中 V が一定(実際上はこれが普通なのである)ならば，(3・1)式の反応速度(単位体積当たりの)は濃度 $[B_i]$ の時間的変化に等しい．そこで新しくそのような反応速度を r とすれば

$$r = \frac{1}{\nu_{B_i}}\frac{d[B_i]}{dt} \quad [\text{mol dm}^{-3}\,\text{s}^{-1}] \quad (3\cdot2)$$

と表される．ν_{B_i} は B_i 成分の化学量論係数であり，B_i 成分が，反応化学種 (reactants)(反応式左辺)の一種であれば負，生成化学種 (products) の一種であれば正であることは §2・2 に述べた．(3・2)式は実在成分についての速度の定義であるから，実際の測定対象である．すなわち，物質の補給や除去のない状況(これを閉じているという)にある体積一定の反応系において，特定成分

（測定に容易なものが選ばれる）の濃度の時間的変化を測定すればよい．予備実験によって，他の反応が同時に起こっていないことが確かめられていれば，特定成分の減少（あるいは増加）速度をその化学量論係数で除してやれば，反応の反応速度 r（(3・2)式）が求まる．

反応系の種類　反応系の典型には，**回分系**（batch system）と**流通系**（flow system）がある．回分系は閉じた系，すなわち物質の流出入のない系であり，流通系は物質の流出入のある系（これを開いた系という）である．速度測定は前者から始まったが現在では流通系が大いに利用されている．回分系では測れない高速反応の測定に適しているためである．図3・1に反応系の典型を示した．

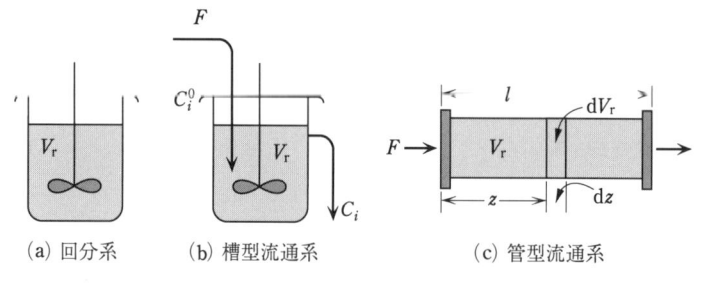

図 3・1　反応系の典型（V_r 反応系体積，F 流量，C_i^0 流入流体の濃度，C_i 流出流体の濃度）

(a) 回分系　(b) 槽型流通系　(c) 管型流通系

これらの反応系についての速度測定の原理は，反応系体積 V_r 〔dm³〕中のつぎの物質収支の関係から与えられる．

$$\begin{pmatrix}流入流体中の\\反応物質量\end{pmatrix} - \begin{pmatrix}流出流体中の\\反応物質量\end{pmatrix} - \begin{pmatrix}反応系内で消費さ\\れた反応物質量\end{pmatrix} = \begin{pmatrix}反応系内反応\\物質の蓄積量\end{pmatrix}$$
$$(\text{I}) \qquad\qquad (\text{II}) \qquad\qquad (\text{III}) \qquad\qquad (\text{IV})$$

$$(3・3)$$

IとIIは注目成分の流入量と流出量，IIIは反応による消費量，IVは系内の注目成分の蓄積量を表している．

回分系（図3・1a）ではIとIIがないから，(3・2)式によって速度が与えられる．図3・1(b)は**槽型流通反応器**（tank flow reactor）である．流入量と流出量が等しくかつ流出流体濃度 C_i が一定となると，反応器内は定常状態であるからIVがなくなり，速度は，

3・1 速度の定義と測定原理

$$r = \frac{1}{\nu_i} \frac{C_i - C_i^0}{V_r/F} \qquad (3・4)$$

で与えられる．C_i^0〔mol dm^{-3}〕は流入流体の i 成分濃度，V_r〔dm^3〕は反応系体積（器内の反応溶液の体積），F は流量〔dm^3 s^{-1}〕である．V_r/F〔s〕は流体の空間速度（space velocity）の逆数であり[†]，反応系滞留時間（反応時間）の意味をもつ．この系では，流出濃度 C_i が平衡濃度またはゼロの場合を除き，流量変化に伴う流出濃度変化（$C_i - C_i^0$）を測定することにより（3・4）式から反応速度 r が得られる．

図3・1(c) は**管型流通反応器**（tubular flow reactor）である．定常状態にあるとき（IV=0），入口より z の距離における流入濃度を C_i，$z+\mathrm{d}z$ における流出濃度を $C_i + \mathrm{d}C_i$ として，微小体積 $\mathrm{d}V_r$ についての物質収支をとると，

$$F \times C_i - F \times (C_i + \mathrm{d}C_i) = -(\nu_i r)\mathrm{d}V_r \qquad (3・5)$$
$$\text{（Ⅰ）} \qquad \text{（Ⅱ）} \qquad \text{（Ⅲ）}$$

したがって，

$$F\mathrm{d}C_i = (\nu_i r)\mathrm{d}V_r$$

または，

$$r = \frac{1}{\nu_i} \frac{\mathrm{d}C_i}{\mathrm{d}(V_r/F)} \qquad (3・6)$$

高速溶液反応の流通反応器 管型流通反応器は流量を大にすれば高速反応の速度測定に使用できる．図3・2は Chance（チャンス）が開発した装置である．反応溶液を各注射器に入れ，ジェットミキサー部分で混合する．ジェットミキサーから濃度分析部分（光学的方法による）までの距離は 7 mm 以上，反応管内の線速度は 15〔m s^{-1}〕，流量は 10〔cm^3 s^{-1}〕程度である．この装置では，反応時間が最短 5×10^{-4}〔s〕のときの濃度から測ることができる．流量を増加させればいくらでも線速度を増加させることができそうに思えるが，実際には管内に発泡現象（キャビテーション）が起こってしまうので，20〔m s^{-1}〕止まりである．

[†] 工業的には，F を〔mol s^{-1}〕，〔kg s^{-1}〕，あるいは〔m^3 s^{-1}〕で表す．その場合の C_i は流入流体の〔mol〕，〔kg〕，あるいは〔m^3〕当たりの i 成分 mol 数にとる．V_r/F は，F が〔m^3 s^{-1}〕，V_r が〔m^3〕で表されたとき以外は，時間のみの単位とはならないので滞留時間という意味はもたない．

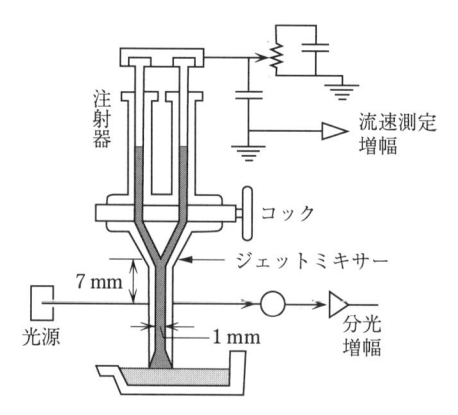

図 3・2 高速溶液反応装置（B. Chance）

3・2 速度式の決め方

多くの反応の速度が簡単な速度式によって表される，ということが重要なことである．したがって，典型的な速度式を試してみることで，ほとんどの場合に速度式を決めることができる．実際の決め方のテクニックを簡単に述べる．

a．濃度と時間の直線プロット

A 成分の濃度 [A] の時間的変化，すなわち A の減少速度が次式で与えられるとすれば，反応速度式

$$-\frac{d[A]}{dt} = k[A] \tag{1・3}$$

の積分形は，初濃度を $[A]_0$ として

$$\ln\frac{[A]}{[A]_0} = -kt$$

常用対数を用いて書き直すと，

$$\log\frac{[A]_0}{[A]} = \frac{k}{2.303}t \tag{3・7}$$

となる．反応時間 t を横軸に，$\log([A]_0/[A])$ を縦軸にとり，実験点をプロットすれば，原点を通る直線上に実験点がのり，この直線のこう配が $k/2.303$ となる（図 3・3）．(1・3) 式は右辺の [A] に比例するから **1 次反応速度式** という．

3・2 速度式の決め方

2次反応速度式

$$-\frac{d[A]}{dt} = k[A]^2 \tag{3・8}$$

の積分形は,

$$\frac{1}{[A]} = \frac{1}{[A]_0} + kt \tag{3・9}$$

であるから，$1/[A]$ を縦軸に，反応時間 t を横軸にして実験点をプロットすれば，こう配 k の直線が引ける．ただし，直線は原点からでなく $1/[A]_0$ から始まる．直線は縦軸を $1/[A]_0$ で切るから，$1/[A]_0$ を切片とよぶ (図 3・4)．

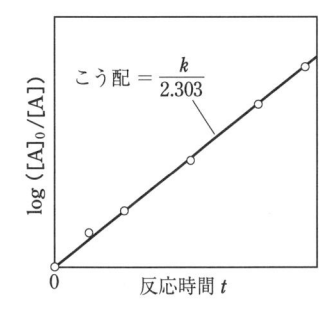

図 3・3 1次反応における反応時間と $\log([A]_0/[A])$ の関係

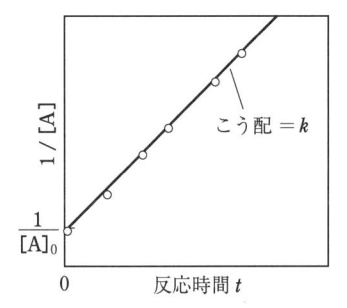

図 3・4 2次反応における反応時間と $1/[A]$ の関係

このような方法が最も普通である．すなわち，予想される速度式の積分形を用いて，横軸が反応時間となるように実験点をプロットしてみる．実験点が直線上にのれば予想速度式の反応次数は正確であり，直線のこう配から速度定数 k が決まる．

n 次反応速度式

$$-\frac{d[A]}{dt} = k[A]^n \tag{3・10}$$

の積分形は

$$\frac{1}{n-1}\left\{\frac{1}{[A]^{n-1}} - \frac{1}{[A]_0^{n-1}}\right\} = kt \quad (n \neq 1) \tag{3・11}$$

である．

無次元速度式　(3・10)式の左辺, すなわち反応速度はつねに〔mol dm^{-3} s^{-1}〕の単位をもっているから速度定数 k の単位は mol$^{-(n-1)}$ dm$^{3(n-1)}$ s^{-1} である ($n=1, 2, 3, \cdots$). いま, つぎのようにおく.

$$kt[A]_0^{n-1} \equiv \theta \tag{3・12}$$

θ は無次元量である. つぎに,

$$\frac{[A]_0 - [A]}{[A]_0} \equiv Q \tag{3・13}$$

は, 反応時間 t までに反応した分率を表す無次元量であり, **反応率** (conversion) とよばれる. Q と θ とを用いれば(3・11)式はつぎのようになる.

$$\frac{1}{n-1}\left\{\frac{1}{(1-Q)^{n-1}} - 1\right\} = \theta \quad (n \neq 1) \tag{3・14}$$

これは, いかなる初濃度 $[A]_0$ から反応をスタートしても, 反応率 Q と θ との関係は速度定数 k の値に関係なく, 反応次数 n で定まる1本の曲線にまとめられることを示す. (3・14)式を**無次元速度式**という. ただし, 図3・5からもわかるように, Q の小さいところでは4本の曲線が区別できないから, 次数決定には Q の大きいところに実験点が必要である.

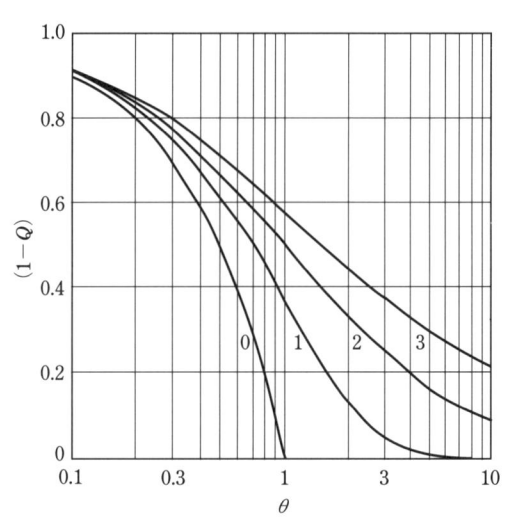

図 3・5　残存率 $(1-Q)$ と反応時間との無次元表示 (Powell プロット). 曲線の数字は反応次数を表す

❏ **問 題**　縦軸に $(1-Q)$, 横軸に θ を常用対数目盛でとって, (3・14)式の $n=0$ から $n=3$ の式を表したものが図3・5である．各時刻 t における濃度 $[A]$ が測定された．初濃度は $[A]_0$ とする．これだけのデータから, $n=0,1,2,3$ のどれに該当し，そして速度定数値 k はいくらかを決めることができるか．

[**ヒント**]　横軸は $\log \theta = \log t + \log(k[A]_0^{n-1})$ であるから，実験で得られた t と $(1-Q)$ の組をプロットした曲線を描き，これを左右に動かして適合した曲線の反応次数から n を知る．実験点の t', $[A]_0$ とグラフからよみとった θ' から $k=\theta'/(t'[A]_0^{n-1})$ とする．

b. 半減期法

反応率 0.5 になるまでの反応時間 $t_{1/2}$ を**半減期** (half life period) とよぶ．
1次反応では，$[A]=\frac{1}{2}[A]_0$ のとき (3・7)式より，

$$\log 2 = \frac{k}{2.303} t_{1/2} \qquad (3 \cdot 15)$$

となるから，半減期 $t_{1/2}$ は初濃度に無関係な一定の値となる．したがって，異なる初濃度から出発して半減期を求め一致すれば1次反応である．わざわざ異なる初濃度からの実験をスタートする必要はない．適当な濃度のところをスタートと考えて半減期を求め比較すればよい．

❏ **問 題**　初濃度を変えた実験より求めた半減期の対数と初濃度の対数とをプロットすることにより反応次数が求まるか．

[**解 答**]　(3・11)式より，$[A]=\frac{1}{2}[A]_0$ とおけば

$$t_{1/2} = \frac{1}{k(n-1)} (2^{n-1}-1) \frac{1}{[A]_0^{n-1}}$$

となる．これより

$$\log t_{1/2} = 定数 - (n-1) \log [A]_0$$

であるから $t_{1/2}$ と $[A]_0$ の両対数プロットから n が求まる．

c. 擬1次速度式法

一般に反応

$$A + B \longrightarrow$$

にはつぎの2次反応速度式が成立することが多い．

$$-\frac{d[A]}{dt} = k[A][B] \qquad (3 \cdot 16)$$

このような速度式が成立する場合，反応が進んでAがかなり減少してもBの濃度は初濃度 [B]₀ とほとんど変わらないほど初めからBを多量に用いると，(3・16)式は，**見かけ1次**の速度式，

$$-\frac{d[A]}{dt} = k'[A] \\ k' = k[B]_0$$

(3・17)

として観測される．このことを利用し，注目成分以外の成分を多量に用いて注目成分の反応次数を決めていく方法を，**擬1次**(pseudo-first-order)**速度式法**という．

この方法の精度は，大過剰成分の反応中の濃度変化がどの程度であるかによって決まる．

$$aA + bB \longrightarrow$$

であると，Aの反応率を Q_A とすれば，そのときのBの濃度は，

$$[B] = [B]_0\left(1 - \frac{b}{a}\frac{[A]_0}{[B]_0}Q_A\right)$$

(3・18)

である．化学量論係数 b/a が大であるほど，また Q_A が大であるときほど，あらかじめ [B]₀ を [A]₀ に比べて大過剰にしておかなければならない．

❏ **問 題**　[B]₀をどの程度過剰にしておけばよいか．$a=b$ とし，$0.5 \leq Q_A \leq 0.9$ 範囲の観測をするものとする．

[**ヒント**]　どれほどの精度で実験するのかを考えよ．

d．初 速 度 法

反応による濃度低下が小さいところ(反応の初期)では(3・16)式は初速度式

$$-\frac{d[A]}{dt} = k[A]_0[B]_0$$

(3・19)

として取扱える．この場合には初濃度 [A]₀ のみを変えて**初速度** (initial rate) を測ってその次数を決め，つぎに [B]₀ のみを動かしてその次数を求めることができる．この方法を初速度法という．

❏ **問 題**　沈殿反応 $2\,HgCl_2 + K_2C_2O_4 \longrightarrow 2\,KCl + 2\,CO_2 + Hg_2Cl_2\downarrow$ について，3通りの実験を行った結果がつぎの表にまとめてある．速度式を求めよ．

	$[HgCl_2]_0$ $[mol\,dm^{-3}]$	$[K_2C_2O_4]_0$ $[mol\,dm^{-3}]$	反応時間 〔min〕	沈殿 Hg_2Cl_2 $[mol\,dm^{-3}]$
実験 1	0.0836	0.404	65	0.0068
実験 2	0.0836	0.202	120	0.0031
実験 3	0.0418	0.404	60	0.0032

[ヒント]　生成物濃度（量）が初濃度に比べ小さいから，反応速度式に初速度法が適用できる．

初速度式と反応中の速度式　初速度から求めた速度式は生成物濃度を含まない．したがって，反応(1・19)の実測速度式(1・20)の初速度式は

$$\vec{v} = k[H_2][Br_2]^{\frac{1}{2}} \qquad (3・20)$$

であり，反応(1・22)の実測速度式(1・26)の初速度式は (1・23) である．このように初速度式と反応中の速度式が異なる場合がある．固体表面上の反応ではこれが一般的である．また，別の原因のために，初速度からは1次だが，反応中は2次という例がかなり存在する．化学反応ではないが，ライデン瓶内に蓄えられた静電気の放電速度にも似た状況が起こる．そこで，初速度から求めた速度式 (initial kinetics) であるか，反応中の時間変化から求めた速度式 (time-course kinetics) であるかを明示して議論する必要がある．

3・3　活性化エネルギーの決め方

アレニウスプロット　速度定数 k の温度変化は(1・6)式，すなわち**アレニウス式**(Arrhenius equation)とよばれているつぎの実験式によって表される（§5・1も参照）．A を頻度因子，E を活性化エネルギーとよぶことは p.5 に述べた．

$$k = Ae^{-E/RT} \qquad (1・6)$$

常用対数表示にすればこれより

$$RT^2 \frac{d\ln k}{dT} = E \qquad (3・21)$$

であるから

$$\log k = \log A - \frac{E}{2.303R}\left(\frac{1}{T}\right) \qquad (3・22)$$

$$2.303R = 19.15 \,[J\,K^{-1}\,mol^{-1}]$$

となる．縦軸に $\log k$ を，横軸に $1/T$ をとって実験点をプロットする（**アレニ**

ウスプロット）．こう配（負）より $E/19.15$，切片より $\log A$ が決まる（図 3・6）．直線とならない場合もあるから最低 4 実験点が必要である．（3 実験点では直線を引いてしまう学生が多い．コンピューター処理にも注意．）

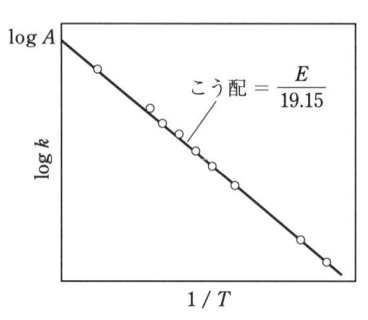

図 3・6 アレニウスプロット

さて，活性化エネルギーはつねに温度によらない定数である，というのは正しいか．これまでの議論では正しいものとして取扱ってきた．しかし，複雑な反応では，実測値が一定値でない場合もある．

たとえば，反応，

$$A \begin{array}{c} \overset{k_1}{\nearrow} B \\ \underset{k_2}{\searrow} C \end{array} \tag{3・23}$$

の場合に，

$$-\frac{d[A]}{dt} = k[A]$$

が成立したとすると，$k = k_1 + k_2$ である．k_1 と k_2 の活性化エネルギーが同値であるという特殊な場合を除けば，k を用いて求めた活性化エネルギーは，温度によって変わってくることになる．

❏ **問 題** 反応温度 T_0 における速度定数を k_0，T における速度定数を k_T とする．この 2 点から E を求める計算式を導け．

［解 答］
$$k_T = k_0 \exp\left\{\frac{E}{R}\left(\frac{T - T_0}{T_0 T}\right)\right\} \tag{3・24}$$

である．アレニウス式の成立が確実であるとき，この計算式を用いてもよい（アレニウスはこの計算式を使った．**2 点法**という）．

4

反応経路の理論

4・1 複合反応と素反応

ある温度で，反応
$$A \longrightarrow B \quad (遅い)$$
と反応
$$B + M \longrightarrow C \quad (速い)$$
が独立に起こりうるとする．いま最初の反応系に M を加えたとすれば反応は見かけ上
$$A + M \longrightarrow C \quad (遅い)$$
のように起こるであろうが，実際は
$$\left.\begin{array}{c} A \longrightarrow B \\ M \end{array}\right\} \longrightarrow C \quad (4・1)$$
である．実際に多くの反応はこのようにいくつかの反応段階を経て進行することがわかっている．そのような反応を**複合反応**（complex reaction），一段階で進行している反応を**素反応**（elementary reaction）とよぶ．複合反応が素反応のいかなる組合わせによって進行しているかを示すものを**反応経路**（reaction path）という．反応経路の基本的タイプには

逐次反応（successive reaction）
$$A \longrightarrow B \longrightarrow C \quad (4・2)$$

並発反応（concurrent reaction, parallel reaction）
$$A \diagdown \begin{array}{c} B \\ C \end{array} \quad (3・23)$$

可逆反応 (reversible reaction)
$$A \rightleftarrows B \qquad (4・3)$$
などがある．

個々の素反応がどのようにして起こっているかの問題に立ち入る前に，複合反応の速度式や速度が素反応のそれらとどのような関係にあるのかを問題としよう．すなわち反応経路の理論である．この理論は素反応による複合反応の合成の方法，したがって複合反応の素反応への分解の方法を提供する．

4・2　逐次反応の速度：定常状態近似法

逐次反応(4・2)の各段階は1次反応とする．

$$\left. \begin{aligned} -\frac{d[A]}{dt} &= k_1[A] \\ \frac{d[B]}{dt} &= k_1[A] - k_2[B] \\ \frac{d[C]}{dt} &= k_2[B] \end{aligned} \right\} \qquad (4・4)$$

反応時間 $t=0$ のとき，$[A]=[A]_0$，$[B]=[C]=0$ を初期条件としてこの微分方程式を解けば

$$\left. \begin{aligned} [A] &= [A]_0 e^{-k_1 t} \\ [B] &= [A]_0 \left\{ \frac{k_1}{k_2-k_1}(e^{-k_1 t} - e^{-k_2 t}) \right\} \\ [C] &= [A]_0 \left\{ 1 - \frac{1}{k_2-k_1}(k_2 e^{-k_1 t} - k_1 e^{-k_2 t}) \right\} \end{aligned} \right\} \qquad (4・5)$$

となる．反応時間 t の増加とともに $[A]$ は指数的減少，$[B]$ は初め増加するがしだいに減少，$[C]$ は増加し最終的には $[A]_0$ となる．ここで，特に $[B]$ の時間的変化に注目してみる．$[B]$ の時間的変化は k_2 と k_1 の大小関係で決まる．いま $k_2 \gg k_1$ であると，反応中 $(t>0)$ は

$$e^{-k_1 t} \gg e^{-k_2 t}$$

であるから，(4・5)式より

$$[B] \simeq \frac{k_1}{k_2}[A] \ll [A] \qquad (4・6)$$

$$[C] \simeq [A]_0 - [A] \qquad (4・7)$$

4・2 逐次反応の速度：定常状態近似法

反応中はつねに

$$[A]_0 = [A]+[B]+[C] \qquad (4\cdot8)$$

が成立しているから，(4・6)式と (4・7)式より

$$[A], [C] \gg [B] \simeq 0 \qquad (4\cdot9)$$

である．(4・6)式の時間微分

$$\frac{d[B]}{dt} \simeq \frac{k_1}{k_2}\frac{d[A]}{dt} \ll \frac{d[A]}{dt}$$

と (4・7)式の時間微分

$$\frac{d[C]}{dt} \simeq -\frac{d[A]}{dt}$$

を比較すれば

$$-\frac{d[A]}{dt} \simeq \frac{d[C]}{dt} \gg -\frac{d[B]}{dt} \simeq 0 \qquad (4\cdot10)$$

となる．すなわち，反応中は [B] を他成分に比べてゼロに近い定常濃度にあるとみなすことができる．そこで，(4・4)式において初めから

$$\frac{d[B]}{dt} = 0 \qquad (4\cdot11)$$

と仮定すれば計算は簡単になり

$$[B] = \frac{k_1}{k_2}[A] \qquad \frac{d[C]}{dt} = k_1[A] = -\frac{d[A]}{dt}$$

を得る．要するに B が A と C に比べ無視できる濃度である場合には反応は

$$A \xrightarrow{k_1} C$$

として取扱うことになり，B は反応中にだけ微量に存在する**反応中間体**(reaction intermediate) であるという．(4・11)式を反応経路に現れる中間化学種に適用する手法を**定常状態近似法** (stationary state approximation または steady state approximation) という．この手法により反応経路の解釈や計算が容易となるため，きわめて一般的に使用されている．

定常状態近似は妥当性が疑わしい，という議論がよくある．[B] は定常濃度でなく実際には変化しているからである．しかし，定常状態近似とは (4・9)式

と (4・10)式に示したように他成分の濃度や変化速度に比較しての話であることに注意してほしい．一般に B のように変化が小さく定常とみなせる状態を**擬定常** (pseudo-stationary) という．

定常状態近似法は Bodenstein(ボーデンシュタイン)(1913)によって始められ，のちに，Christiansen(クリスチアンセン)(1919)，Herzfeld(ヘルツフェルド)(1919)，M. Polanyi(ポラニ)(1920) が，$H_2 + Br_2 \rightarrow 2\,HBr$ の複雑な速度式の解釈に用いて成功して以来有名となった．

❏ **問 題** $\qquad H_2 + Br_2 \longrightarrow 2\,HBr \qquad (1・19)$

の速度 $\vec{v}$ は，Bodenstein と Lind (1907) の実験式

$$\vec{v} = \frac{k[H_2][Br_2]^{\frac{1}{2}}}{1 + (k'[HBr]/[Br_2])} \qquad (1・20)$$

$$k = Ae^{-170\,kJ/RT} \qquad k' \simeq 0.12$$

によって表される．つぎの反応経路によって速度式の解釈を試みよ．

$$Br_2 \underset{2}{\overset{1}{\rightleftharpoons}} 2\,Br, \quad Br + H_2 \underset{4}{\overset{3}{\rightleftharpoons}} HBr + H, \quad H + Br_2 \overset{5}{\longrightarrow} HBr + Br \qquad (4・12)$$

[ヒント] [H], [Br]に定常状態近似を使うと $v_1 \simeq v_2$, $v_3 - v_4 = v_5$ を得る．

4・3 律 速 段 階

逐次反応(4・2)が平衡にあれば各ステップ1と2の正逆素反応速度（$\vec{v}$ と $\overleftarrow{v}$）は等しい．

$$A \overset{1}{\rightleftharpoons} B \overset{2}{\rightleftharpoons} C \qquad (4・13)$$

$$\vec{v}_1 - \overleftarrow{v}_1 = 0 \qquad \vec{v}_2 - \overleftarrow{v}_2 = 0$$

反応が右方向へ進行中はどのステップにおいても

$$\vec{v} > \overleftarrow{v}$$

であり，各成分濃度の時間的変化は

$$\left. \begin{aligned} -\frac{d[A]}{dt} &= \vec{v}_1 - \overleftarrow{v}_1 \geq 0 \\ \frac{d[B]}{dt} &= (\vec{v}_1 - \overleftarrow{v}_1) - (\vec{v}_2 - \overleftarrow{v}_2) \\ \frac{d[C]}{dt} &= \vec{v}_2 - \overleftarrow{v}_2 \geq 0 \end{aligned} \right\} \qquad (4・14)$$

4・3 律速段階

となる．(4・4)式は平衡から離れた状況，すなわち $\vec{v}_1 \gg \overleftarrow{v}_1$, $\vec{v}_2 \gg \overleftarrow{v}_2$ を表したものであることがわかる．(4・14)式において(4・11)式を適用することは

$$\vec{v}_1 - \overleftarrow{v}_1 = \vec{v}_2 - \overleftarrow{v}_2 \equiv r \tag{4・15}$$

とすることであり，A → C が一定速度（定常速度）r によって進行している，とすることである．

(4・15)式を書き直すと

$$\begin{aligned} r &= \vec{v}_1\left(1 - \frac{\overleftarrow{v}_1}{\vec{v}_1}\right) \\ &= \vec{v}_2\left(1 - \frac{\overleftarrow{v}_2}{\vec{v}_2}\right) \end{aligned} \tag{4・16}$$

である．いま $\vec{v}_1 \gg \vec{v}_2$ であれば

$$\overleftarrow{v}_1/\vec{v}_1 \to 1$$
$$\overleftarrow{v}_2/\vec{v}_2 \to 0$$

すなわち，ステップ1は平衡に近く，ステップ2は平衡から遠いことになる．そして

$$r \simeq \vec{v}_2$$

である．反応の速度 r はステップ2の速度によって決まる．このとき，ステップ2を反応の**律速段階**（rate-determining step）という．

§2・3に述べたように平衡においては化学親和力 $\mathcal{A}$ がゼロであるから，平衡に近いとしたステップ1の化学親和力 $\mathcal{A}_1 = \mu_A - \mu_B \simeq 0$ である．A → C への反応は進行中であるから

$$\mathcal{A} = \mu_A - \mu_C > 0$$

したがって，ステップ2の化学親和力

$$\mathcal{A}_2 = \mu_B - \mu_C \simeq \mathcal{A} > 0$$

である．

$\mathcal{A}$ が大きい反応は不可逆的に進行するが，その**反応経路を構成するステップにはほとんど平衡にあるとみなせるものがあること**，そして，**最も平衡から離れているステップの素反応によって反応全体（複合反応の速度と速度式）が決まる**ことが重要な結論である．

4・4 化学量数

反応式に現れる係数は**化学量論係数**(stoichiometric coefficient)であるが，反応経路の各ステップにも係数が存在する．反応(反応式で定義された)が1回起こるとき各ステップが何回起こるかを示す係数であり，発見者堀内寿郎(1939)は**化学量数**(stoichiometric number) とよんだ．好例は，アンモニア合成反応(2・1)である．この反応は鉄を主体とする触媒の存在でつぎのように進行する．(a)は触媒表面上の化学種であることを表す．$\mathscr{A}$は各ステップの化学親和力である．

$$
\left.
\begin{aligned}
&1)\ N_2 \rightleftarrows N_2(a) & & \mathscr{A}_1 = \mu_{N_2} - \mu_{N_2(a)} \\
&2)\ N_2(a) \rightleftarrows 2\,N(a) & & \mathscr{A}_2 = \mu_{N_2(a)} - 2\mu_{N(a)} \\
&3)\ H_2 \rightleftarrows 2\,H(a) & & \mathscr{A}_3 = \mu_{H_2} - 2\mu_{H(a)} \\
&4)\ N(a)+H(a) \rightleftarrows NH(a) & & \mathscr{A}_4 = \mu_{N(a)} + \mu_{H(a)} - \mu_{NH(a)} \\
&5)\ NH(a)+H(a) \rightleftarrows NH_2(a) & & \mathscr{A}_5 = \mu_{NH(a)} + \mu_{H(a)} - \mu_{NH_2(a)} \\
&6)\ NH_2(a)+H(a) \rightleftarrows NH_3 & & \mathscr{A}_6 = \mu_{NH_2(a)} + \mu_{H(a)} - \mu_{NH_3}
\end{aligned}
\right\} \quad (4\cdot 17)
$$

反応を

$$ N_2 + 3\,H_2 \longrightarrow 2\,NH_3 \qquad (2\cdot 1) $$

と書けば，1), 2) は1回，3) は3回，4)〜6) は2回起こらねばならない．起こる回数が素反応の化学量数である．

反応(2・1)の化学親和力は

$$ \mathscr{A} = \mu_{N_2} + 3\mu_{H_2} - 2\mu_{NH_3} \qquad (2\cdot 16) $$

である．いま気相分子に比べてすべて極微量である表面化学種に定常状態近似を用いると，つぎの関係式が得られる．

$$ r = \vec{v}_1 - \overleftarrow{v}_1 = \vec{v}_2 - \overleftarrow{v}_2 = \tfrac{1}{3}(\vec{v}_3 - \overleftarrow{v}_3) = \tfrac{1}{2}(\vec{v}_i - \overleftarrow{v}_i) \quad i=4,5,6 \qquad (4\cdot 18) $$

かつ

$$ \mathscr{A} = \mathscr{A}_1 + \mathscr{A}_2 + 3\mathscr{A}_3 + 2(\mathscr{A}_4 + \mathscr{A}_5 + \mathscr{A}_6) \qquad (4\cdot 19) $$

一般式として，(2・27)式を参照すれば

$$ r = \frac{1}{\nu_j}(\vec{v}_j - \overleftarrow{v}_j) = \frac{1}{\nu_j}\vec{v}_j(1 - e^{-\mathscr{A}_j/RT}) \qquad j=1,2,\cdots \quad (4\cdot 20) $$

$$ \mathscr{A} = \sum_j \nu_j \mathscr{A}_j \qquad (4\cdot 21) $$

となる．ν_jはステップjの化学量数である．いま律速段階がステップ$\mathscr{R}$である

4・5 平衡付近の速度則: 緩和型速度式と緩和時間

とすれば，$\mathcal{A}_{j\neq\mathcal{R}}=0$，したがって $\mathcal{A}=\nu_{\mathcal{R}}\mathcal{A}_{\mathcal{R}}$ であるから

$$r = \frac{1}{\nu_{\mathcal{R}}}\vec{v}_{\mathcal{R}}\{1 - e^{-\mathcal{A}/(\nu_{\mathcal{R}}RT)}\} \qquad (4\cdot22)$$

である．したがって，r と $(\vec{v}_{\mathcal{R}}/\nu_{\mathcal{R}})$ を測定し括弧内第2項を求めれば $\mathcal{A}$ 値は全圧組成から計算できる (p.16参照) から，化学量数 $\nu_{\mathcal{R}}$ を決定することができる．$(\vec{v}_{\mathcal{R}}/\nu_{\mathcal{R}})$ は同位元素を用いて測定することができる．アンモニア合成反応について $\nu_{\mathcal{R}}=1$ との報告例 (田中一範 1964) がある．律速段階決定の一つの方法であるが，実験は大変難しい．

4・5 平衡付近の速度則: 緩和型速度式と緩和時間

可逆反応(4・3)の速度式を

$$-\frac{d[A]}{dt} = \vec{k}[A] - \overleftarrow{k}[B]$$

とする．$\vec{k}$ は正反応，$\overleftarrow{k}$ は逆反応の速度定数である．平衡濃度を $[A]_e$，$[B]_e$ とすれば

$$0 = \vec{k}[A]_e - \overleftarrow{k}[B]_e \qquad [A] + [B] = [A]_e + [B]_e$$

であるから，上の速度式はつぎのように書くことができる．

$$\begin{aligned}-\frac{d([A] - [A]_e)}{dt} &= (\vec{k} + \overleftarrow{k})([A] - [A]_e) \\ \text{または} \quad -\frac{d([B]_e - [B])}{dt} &= (\vec{k} + \overleftarrow{k})([B]_e - [B])\end{aligned} \qquad (4\cdot23)$$

これらはいずれも平衡濃度からの偏差がゼロになる (平衡に近づく) 速度は偏差について1次であることを表している．一般に，平衡状態あるいは定常状態からの偏りが解消することを**緩和** (relaxation) という．偏りがきわめて小さいときには，(4・23)式のように，緩和の速度は偏差の1次によって表される．平衡値からの反応進行度 ξ の偏差を $(\Delta\xi)$，その初期値を $(\Delta\xi)_0$ と書けば(4・23)式とその積分形は

$$\left.\begin{aligned}-\frac{d(\Delta\xi)}{dt} &= \frac{(\Delta\xi)}{\tau} \\ (\Delta\xi) &= (\Delta\xi)_0\, e^{-t/\tau} \\ \tau &= (\vec{k} + \overleftarrow{k})^{-1} \ [\text{s}]\end{aligned}\right\} \qquad (4\cdot24)$$

となる．(4・24)式を緩和型速度式，τ を緩和時間 (relaxation time) という．ここで，τ の値を知れば，つぎの関係を利用して，速度定数 $\vec{k}$, $\overleftarrow{k}$ の値を決定することができる．

$$\tau \vec{k}(K_c + 1) = 1 \qquad K_c = \vec{k}/\overleftarrow{k} \qquad (4・25)$$

いかなる反応も平衡付近では必ず緩和型速度式となることは容易に証明できる（下記コラム参照）．τ の内容は反応によって異なるが速度定数決定には支障がない．このことは反応速度論ではきわめて重要なことである．反応速度が大きいためにつねに平衡であるような反応，たとえば水溶液中の

$$H^+ + OH^- \underset{\overleftarrow{k}}{\overset{\vec{k}}{\rightleftharpoons}} H_2O \qquad (4・26)$$

$\vec{k} = 1.4 \times 10^{11}\,mol^{-1}\,dm^3\,s^{-1}$, $\overleftarrow{k} = 2.5 \times 10^{-5}\,s^{-1}$ (298 K)

などには §3・2 に述べた速度測定法は適用できない．瞬間的にわずか（5 K 程度）でも系の温度を上昇させると新しい平衡に向けて濃度の緩和が起こる．その緩和時間 τ を測定することによって実際に反応(4・26)の速度定数が決定されたのである (p.75)．衝撃波やレーザー光などを利用する超高速反応の速度測定はすべてこのような方法（**化学緩和法**という）によっている．それらについては §8・2, 8・3 でふれる．

いかなる反応も平衡付近では必ず緩和型速度式となることの証明

2章の復習と応用を兼ねて一般論によって以下に，いかなる反応も平衡付近においては必ず緩和型速度式となることの証明をしておく．いかなる反応速度も

$$r = \vec{v} - \overleftarrow{v} \qquad (1・27)$$
$$= \vec{v}(1 - e^{-\mathscr{A}/RT}) \qquad (2・27)$$

と書ける．各成分を B_i，濃度を $[B_i]$，平衡濃度を $[B_i]_e$，化学量論係数を ν_{B_i} とし，反応式を

$$0 = \sum_i \nu_{B_i} B_i \qquad (2・12)$$

と表すと，平衡定数は

$$K_c = \prod_i [B_i]_e^{\nu_{B_i}} \qquad (4・27)$$

4・5 平衡付近の速度則：緩和型速度式と緩和時間

であり，化学親和力 $\mathscr{A}$ は (2・24) 式から

$$\begin{aligned}\mathscr{A} &= -RT\ln\Big(\frac{1}{K_c}\prod_i [\mathrm{B}_i]^{\nu_{\mathrm{B}_i}}\Big) \\ &= -RT\sum_i \nu_{\mathrm{B}_i}\ln\Big(\frac{[\mathrm{B}_i]}{[\mathrm{B}_i]_e}\Big)\end{aligned} \quad (4\cdot28)$$

であることがわかる．いま，平衡に近く

$$\frac{\mathscr{A}}{RT} \ll 1 \qquad [\mathrm{B}_i] - [\mathrm{B}_i]_e = (\Delta[\mathrm{B}_i]) \ll [\mathrm{B}_i]_e$$

であるとすれば，速度式(2・27)は(2・28)式の形で表され

$$r \simeq \vec{v}_e\Big(\frac{\mathscr{A}}{RT}\Big)$$

(4・28)式は

$$\mathscr{A} \simeq -RT\sum_i \frac{\nu_{\mathrm{B}_i}(\Delta[\mathrm{B}_i])}{[\mathrm{B}_i]_e}$$

となる．ここで近似式

$$\ln\Big\{1 + \frac{(\Delta[\mathrm{B}_i])}{[\mathrm{B}_i]_e}\Big\} \simeq \frac{(\Delta[\mathrm{B}_i])}{[\mathrm{B}_i]_e}$$

を使用している．$(\Delta[\mathrm{B}_i])$ は，反応進行度 ξ の偏差 $(\Delta\xi)$ とつぎの関係にあるから

$$(\Delta[\mathrm{B}_i]) = \nu_{\mathrm{B}_i}(\Delta\xi)$$

偏差の減少速度は緩和型

$$r \simeq \Big(\vec{v}_e\sum_i \frac{\nu_{\mathrm{B}_i}^2}{[\mathrm{B}_i]_e}\Big)(\Delta\xi)$$

となり，緩和時間 τ では

$$\tau = \Big(\vec{v}_e\sum_i \frac{\nu_{\mathrm{B}_i}^2}{[\mathrm{B}_i]_e}\Big)^{-1}$$

となる．反応(4・26)では $\vec{v}_e = \vec{k}[\mathrm{H}^+]_e[\mathrm{OH}^-]_e = \overleftarrow{k}[\mathrm{H_2O}]_e$ だから

$$\tau = \{\vec{k}([\mathrm{H}^+]_e + [\mathrm{OH}^-]_e) + \overleftarrow{k}\}^{-1}$$

である．

5

素反応の理論
活性分子とその衝突

5・1 素反応理論の出発点：アレニウス式

　反応経路は素反応の組合わせである．反応経路の理論（4章）は与えられた素反応速度の合理的な組合わせを論ずるものであり，観測された複合反応の速度を説明しうる可能な反応経路を推定するにとどまる．さらに進んで，可能性のある反応経路のうちどの反応経路が実現するのかを知るためには，反応条件における各素反応の速度挙動を理解しておかなければならない．

　素反応はワンステップで起こる化学反応，すなわち分子（イオン，ラジカルなど）間の原子組替えである．もちろん，素反応の解明をめざして反応速度の研究が続けられてきたのであり，すでに分子集団の性質・挙動から反応速度を理解する理論体系（**遷移状態理論**）が確立されている．したがって，この理論の概略までを知れば現在までに確立されてきた反応速度論体系を理解したといってよい．

　本章では遷移状態理論を理解するための準備として，アレニウス式から出発しArrhenius（アレニウス）の活性分子説から衝突説・放射説を経て遷移状態理論の成立に至った歴史的な流れを論理的に整理しておく．

　まず，素反応理論の出発点となったアレニウス式はArrheniusが実験をして見いだしたものではないことを説明する．

　アレニウス式（§3・3参照）

$$k = Ae^{-E/RT} \qquad (1\cdot 6)$$

は，Arrhenius（1889）がショ糖の転化（加水分解）反応の実験から見いだした

5・1 素反応理論の出発点:アレニウス式

という記述が多くの教科書にある.Arrhenius が実験をして発見したものであるように思うが,事実はそうではない.論文は Arrhenius がライプチヒ大学の Ostwald(オストワルド)の研究室においてショ糖の転化反応の研究中に発表したものである.この反応の速度が触媒である水素イオンの濃度と単純な関係にないことを実験的に見いだし,その説明に**"活性分子"説**を提案した内容となっている.そのさいに新説提案の根拠として,"反応速度定数は(1・6)式によって表される"と主張した.このことから(1・6)式がアレニウス式とよばれることになったのであるが,(1・6)式そのものは van't Hoff(ファント・ホッフ)(1884)によってすでに提出されていたのである.この辺りの経緯は科学研究というものを考えるうえで参考になるから,簡単に紹介しておく.

Arrhenius が"活性分子"説を提案するさいに検討した実験結果(反応速度の温度変化)は,それ以前に報告されていた8例で,うち4例は van't Hoff (1884)の検討済みのものであった.van't Hoff はすでに,van't Hoff の定容式(定容における濃度平衡定数 K_c と反応熱 E との熱力学関係式)

$$\frac{d \ln K_c}{dT} = \frac{E}{RT^2} \tag{5・1}$$

に(1・14)式を代入して得られた関係式

$$\frac{d \ln \vec{k}}{dT} - \frac{d \ln \overleftarrow{k}}{dT} = \frac{\vec{E}}{RT^2} - \frac{\overleftarrow{E}}{RT^2} \tag{5・2}$$

から,正反応の速度定数 $\vec{k}$ と逆反応の速度定数 $\overleftarrow{k}$ の温度変化につぎの理論式を提出し,共通の項 $B(T)$ を実験から定めようと苦心していた.

$$\frac{d \ln \vec{k}}{dT} = \frac{\vec{E}}{RT^2} + B(T) \tag{5・3}$$

$$\frac{d \ln \overleftarrow{k}}{dT} = \frac{\overleftarrow{E}}{RT^2} + B(T) \tag{5・4}$$

van't Hoff 以前には,速度定数の温度変化については,Warder(1881)の実験報告[酢酸エチルとカセイソーダ(水酸化ナトリウム)との反応,$3.6°C \leq t \leq 37.7°C$,実験式 $(7.5-k)(62.5-t)=521.4$] のみであった.van't Hoff と Schwab は水溶液では限度と思われる 85 度もの広い温度範囲の反応実験を繰返しつぎの3反応についてそれぞれ実験式を得た(t の単位は °C).

5. 素反応の理論

モノクロロ酢酸の加水分解(80 ℃≤t≤130 ℃), T をケルビン目盛として

$$\text{実験式:} \quad \log k = -\frac{5571}{T} + 11.695 \quad (5 \cdot 5)$$

モノクロロ酢酸ナトリウムと水酸化ナトリウムとの反応(70 ℃≤t≤130 ℃)

$$\text{実験式:} \quad \log k = 0.0404t - 5.91554 \quad (5 \cdot 6)$$

ジブロモコハク酸の加水分解(15 ℃≤t≤101 ℃)

$$\text{実験式:} \quad \log k = 0.0412t - 6.02219 \quad (5 \cdot 7)$$

実験式(5・5)は明らかにアレニウス式であったが,他の2反応には異なる実験式(5・6),(5・7)が採用された(実験は精密で3回平均の実験点である.アレニウス式より実験式の方が,実験点との一致がわずかではあるが良い).van't Hoff はここでなぜか仕事を打ち切ってしまった.

Arrhenius は数年後に,上記4実験例とつぎの新しい実験結果

硫酸鉄(II)の塩素酸カリウムによる酸化(Hood 1885, 10 ℃≤t≤32 ℃)

$$\text{実験式:} \quad k = k_{10} \times (1.093)^{t-10} \quad (5 \cdot 8)$$

ヨウ化メチルとエトキシドの反応(Hecht ら 1889, 0 ℃≤t≤30 ℃)

$$\text{実験式:} \quad k = 0.001671 \times 10^{0.0524t} \quad (5 \cdot 9)$$

ショ糖の転化(加水分解)(Urech 1884, 1 ℃≤t≤40 ℃)
　　　実験式なし

ショ糖の転化(加水分解)(Spohr 1888, 25 ℃≤t≤55 ℃)
　　　実験式なし

に対して,あえて"すべてに (1・6)式があてはまる"と主張したのである.実験的には提出されている実験式の方が良いし,ショ糖の実験は最もアレニウス式に合っていないのだが,正確さを欠いていても (1・6)式の方が"もっともらしい"という彼の直観からの大胆な主張であった.その後間もなく,広い温度範囲で気相反応の速度が測られるようになって Arrhenius の主張が支持され,(1・6)式に Arrhenius の名が冠されるようになった,というのが事実である.

さて,Arrhenius の目的はアレニウス式(1・6) を根拠として活性分子説をつぎのように提案することにあった.

アレニウス式は $B(T)$ をゼロとした(5・3)式,すなわち(5・10)式に相当する.

$$\frac{\mathrm{d}\ln \vec{k}}{\mathrm{d}T} = \frac{\vec{E}}{RT^2} \quad (5 \cdot 10)$$

(5・10)式と (5・1)式は同じ形をしているから，速度定数 $\vec{k}$ は平衡定数 K_c の一種と見なすことができる．そこで Arrhenius は"反応に有効な反応物質はショ糖ではなくてある仮想の物質'活性ショ糖'であり，これが転化により消費されるや否や再びショ糖より生成する"とし，'活性ショ糖'の量 M^* とショ糖の量 M との間に $\vec{k}$ を平衡定数とするつぎの平衡関係があるものとした．

$$M^* = \vec{k}M \qquad (5・11)$$

こうすれば，ショ糖の転化反応速度（M に 1 次）の速度定数 $\vec{k}$ の活性化エネルギー $\vec{E}$ はショ糖が活性ショ糖になるために吸収しなければならない生成熱として理解できる．この大胆な'活性ショ糖'説は 50 年後に遷移状態理論として復活するまで顧みられなかった．しかし，実験結果に対する大胆な主張は**化学反応の速度はアレニウス式に従う大きな温度変化を示す**ことの第一発見者の名誉を Arrhenius にもたらした．

アレニウス式の確立は，反応速度の記述（濃度・温度によらぬ 2 定数，頻度因子と活性化エネルギーによる）方法の確立を意味する．これによって反応速度の測定と制御の方法が確立された（p.2 の 1)～3) 参照）．ここで確立された実験事実を整理しておく．

5・2 気相素反応の速度データ

素反応の理解は，Bodenstein（ボーデンシュタイン）(1894) が気相反応研究の道を開いてから急速に進展した．素反応では反応式左辺の化学種の数が 1, 2, 3 であるに従い，単分子反応（unimolecular reaction），2 分子反応（bimolecular reaction），3 分子反応（termolecular reaction）とよんでいる．それらは反応次数と一致する．ただし逆は必ずしも成立しない．

表 5・1 頻度因子の上限

濃度単位	$[\mathrm{mol\ cm^{-3}}]$		$[\mathrm{mol\ dm^{-3}}]$		$[\mathrm{molecules\ cm^{-3}}]$（分子数）	
単分子反応	10^{13}～10^{14}	$[\mathrm{s^{-1}}]$	10^{13}～10^{14}	$[\mathrm{s^{-1}}]$	10^{13}～10^{14}	$[\mathrm{s^{-1}}]$
2 分子反応	10^{14}～10^{15} $[\mathrm{cm^3\ mol^{-1}\ s^{-1}}]$		10^{11}～10^{12} $[\mathrm{dm^3\ mol^{-1}\ s^{-1}}]$		10^{-10}～10^{-9} $[\mathrm{cm^3\ molecules^{-1}\ s^{-1}}]$	
3 分子反応	10^{15}～10^{16} $[\mathrm{cm^6\ mol^{-2}\ s^{-1}}]$		10^9～10^{10} $[\mathrm{dm^6\ mol^{-2}\ s^{-1}}]$		10^{-32}～10^{-31} $[\mathrm{cm^6\ molecules^{-2}\ s^{-1}}]$	

一般に各反応の頻度因子 A の実測値の上限は表5・1に示す程度である．表5・2~5・4に代表的な**気相素反応の実測速度データ**を掲げた．

表 5・2 気相単分子反応の速度データ

$k = A\exp(-E/RT)$ 〔s^{-1}〕		
反　応	$\log A$	E〔kJ mol^{-1}〕
分解反応		
$(CH_3CO)_2O \longrightarrow CH_3COOH + CH_2CO$	12.0	144
$C_3H_7Br \longrightarrow C_3H_7 + Br$	13.6	200
$C_2H_5Cl \longrightarrow C_2H_5 + Cl$	14.2	249
$CH_2=CH-C_2H_5 \longrightarrow 2\,C_2H_4$	12.7	264
異性化反応		
$trans$-$ClCH=CHCl \longrightarrow cis$-$ClCH=CHCl$	12.7	175
cis-スチルベン $\longrightarrow trans$-スチルベン	12.8	179
メチルマレイン酸 $\longrightarrow$ メチルフマル酸	5.85	111
シクロプロパン $\longrightarrow$ プロピレン	15.2	272

表 5・3 気相2分子反応の速度データ

$k = A\exp(-E/RT)$ 〔dm^3 mol^{-1} s^{-1}〕				
反　応	$\log A$	E〔kJ mol^{-1}〕	ΔH†1〔kJ mol^{-1}〕	測定温度〔K〕
$H_2 + I_2 \longrightarrow 2\,HI$	11.1	163	−9.2	556〜 781
$2\,HI \longrightarrow H_2 + I_2$	10.9	184	9.2	556〜 781
$H + H_2(パラ) \longrightarrow H_2(オルト) + H$	10.7	31±4	0.0	298〜 973
$H + CH_4 \longrightarrow H_2 + CH_3$	7.5	28	−7.1	372〜 436
$H + C_2H_6 \longrightarrow H_2 + C_2H_5$	9.5	28	−27	353〜 436
$H + O_2 \longrightarrow HO + O$	11.1	78.7	71	723〜 873
$Cl + H_2 \longrightarrow HCl + H$	10.9	23	4	298〜1000
$Cl + CH_4 \longrightarrow HCl + CH_3$	10.4	16	−3	273〜 488
$Br + H_2 \longrightarrow HBr + H$	10.8	73.7	69.9	435〜 583
$F + H_2 \longrightarrow HF + H$	11.3	6.57	−130	—†2
$CH_3 + C_2H_6 \longrightarrow CH_4 + C_2H_5$	8.33	43.5		298〜 613
$CH_3 + n\text{-}C_4H_{10} \longrightarrow CH_4 + C_4H_9$	8.08	35		298〜 613
$O_3 + CH_4 \longrightarrow CH_3O + HO_2$	7.9	62.4	−50.2	293〜 423
$O_3 + n\text{-}C_4H_{10} \longrightarrow C_4H_9O + HO_2$	5.9	46.5	−80〜−100	293〜 423
$O_3 + iso\text{-}C_4H_{10} \longrightarrow C_4H_9O + HO_2$	4.5	20		303〜 323

†1　ΔH は反応熱である．負号は発熱を示している．
†2　分子線の実験結果である．

表 5・4　気相3分子反応の速度データ

$$k = A\exp(-E/RT) \; [\text{dm}^6\,\text{mol}^{-2}\,\text{s}^{-1}]^{\dagger}$$

反応	$\log A$
$H + H + H \longrightarrow H_2 + H$	10.3
$D + D + D \longrightarrow D_2 + D$	10.2
$Br + Br + M \longrightarrow Br_2 + M$	10.0
$I + I + He \longrightarrow I_2 + He$	9.5
$I + I + Ar \longrightarrow I_2 + Ar$	9.9
$I + I + H_2 \longrightarrow I_2 + H_2$	10.0
$I + I + CO_2 \longrightarrow I_2 + CO_2$	10.4
$I + I + C_6H_6 \longrightarrow I_2 + C_6H_6$	11.2

† すべて $E=0$ である．

5・3　McC. Lewis の活性分子衝突説

McC. Lewis(マック・ルイス)(1918) は気相2分子反応について，アレニウス式（§3・3参照）

$$k = Ae^{-E/RT} \; [\text{dm}^3\,\text{mol}^{-1}\,\text{s}^{-1}] \tag{1・6}$$

の頻度因子 A を2分子衝突数として解釈することに成功した．気相反応

$$H_2 + I_2 \longrightarrow 2\,HI \tag{1・22}$$

の正逆反応の頻度因子 $\vec{A}$, $\overleftarrow{A}$（実測値は Bodenstein (1894)，表5・3）は，つぎのように算出される．ここでは逆反応から説明する（彼が実際にそうしたように）．

反応は活性分子（HI）* **の衝突によって起こる**．活性分子は E^* だけ非活性分子より**内部エネルギー**の高い状態とする．このエネルギーを臨界増加エネルギーとよぶ．その数 N^* と非活性分子数 N との比は統計力学に基づいて得られる通常の次式（Maxwell-Boltzmann(マクスウェル-ボルツマン)分布）によって与えられる．

$$N^* = Ne^{-E^*/RT} \tag{5・12}$$

$N^* \ll N$ であるから（$E^* \gg RT$ だから）N は HI 全分子数に等しいとしてよい．

気体分子運動論（最も簡単な剛体球モデル）によれば活性分子どうしの衝突数 Z は次式で与えられる．

$$Z = \frac{1}{2}\pi d^2 \left(\frac{8RT}{\pi\mu}\right)^{\frac{1}{2}} (N^*)^2 \qquad (5\cdot 13)$$

d は両分子の半径の和，$(8RT/\pi\mu)^{\frac{1}{2}}$ は分子の平均相対速度，μ は換算質量，同種分子衝突では一対の分子衝突を2回の衝突と数えないために2で割ってある．(5・12) 式の関係を用いると

$$Z = \frac{1}{2}\pi d^2 \left(\frac{8RT}{\pi\mu}\right)^{\frac{1}{2}} N^2 e^{-2E^*/RT} \qquad (5\cdot 14)$$

となる．換算質量 μ は A，B 分子ならば M を分子 1 mol 当たりの質量として $\mu = M_A M_B/(M_A + M_B)$ であるが，ここでは同種分子だから $\mu = M/2$ (M は HI 分子 1 mol 当たりの質量) である．$T = 556$ K において $N = 1$ mol dm^{-3}，$d = 2 \times 10^{-10}$ m と仮定する．

$2E^* =$ 実測活性化エネルギー (44 kcal mol^{-1}, 184 kJ mol^{-1}) (5・15)

と (5・14)式より，1 回の衝突で 2 個の分子が反応することを考慮して

$$\vec{k} = 2Z/N^2 = 3.5 \times 10^{-7} \quad [\text{dm}^3 \text{ mol}^{-1} \text{s}^{-1}]$$

が得られる†．$\vec{k}$ の実測値は 3.517×10^{-7} である．McC. Lewis は 556~781 K にわたる Bodenstein の実測値 9 点について 1~1.3 倍の計算値を得た．d の推定に任意性があり，実測活性化エネルギーにも誤差があることを考えれば，これは見事な一致である．

つづいて，McC. Lewis は反応(1・22) について計算した．活性分子 H_2^* の臨界増加エネルギーを E_H^*，I_2^* のそれを E_I^*，それぞれの全分子数を $N_H = 1$ mol dm^{-3}，$N_I = 1$ mol dm^{-3}，d を同じ 2×10^{-10} m として

$$Z = \pi d^2 \left(\frac{8RT}{\pi\mu}\right)^{\frac{1}{2}} N_H N_I e^{-(E_H^* + E_I^*)/RT} \qquad (5\cdot 16)$$

$E_H^* + E_I^* =$ 実測活性化エネルギー(40 kcal mol^{-1}, 163 kJ mol^{-1}) (5・17)

から，556 K の $\vec{k} = Z/N_H N_I = 7.39 \times 10^{-5}$ dm^3 mol^{-1} s^{-1} を得た．実測値は 4.44×10^{-5} である．781 K までの実測値 5 点について 1.7~2.3 倍程度の値となったがこれも見事な一致といってよい ($d = 1.34 \times 10^{-10}$ m とすればほとんど一致す

---

† McC. Lewis の論文では平均相対速度を $(RT/\pi\mu)^{\frac{1}{2}} = 330$ m s^{-1} とし，$e^{-2E^*/RT} = 4.898 \times 10^{-18}$，アボガドロ定数 $N_A = 6.1 \times 10^{23}$ として計算している．

ると彼は述べている).計算した正逆反応の $\vec{k}$, $\overleftarrow{k}$ 値の比から平衡値を計算し実測値の $\frac{1}{2} \sim \frac{1}{3}$ の値を得ている.

以上の McC. Lewis の論文は,臨界増加エネルギー E^* を実測値によって定まるとしているから,速度定数 k の頻度因子 A を原系分子の衝突数から導いたものである.しかし,原系分子衝突によって反応が起こるとするいわゆる衝突反応説ではない.Arrhenius は衝突が反応の原因であるとすれば速度は $\sqrt{T}$ より大きな温度変化を示すはずがないとして,速度の温度変化を示しうる活性化エネルギーを活性分子の生成熱(反応熱)とした.McC. Lewis は内部エネルギーが平均分子より高い分子状態を活性分子と定義し,その相互衝突数は平均分子の衝突数と変わりがないとして計算し頻度因子の説明に成功したのである.

5・4 反応の放射説と衝突説

McC. Lewis は,活性分子の臨界増加エネルギー E^* は外部からの振動数 ν の放射(輻射 radiation)によるという説も検討した.その場合にはプランクの放射式によって,プランク定数 h,アボガドロ定数 N_A として

$$E^* = N_A h\nu \tag{5・18}$$

となる.これは,1910 年ごろから Trauz が提唱してきた説であり,活性化エネルギーを吸収された放射エネルギーとする**放射説**という.(5・15)式によって $E^*=92$ kJ mol^{-1} とし McC. Lewis は (5・18)式から $\nu=2.3\times10^{14}$ s^{-1},波長 λ として($\lambda=c/\nu$,c は光速度)1.3×10^{-6} m(13,000 Å 赤外線)と計算している.そして,"かかる波長の光を吸収している証拠は実験的に存在しない"と否定的見解を述べている.この時期には予想される波長の光を放射しても反応が起こらないという実験的反証が多く提出され始めていた.しかし,Perrin(ペラン)(1919)が放射説を支持し,特定波長の光でなく連続波長の光,あるいは継続する放射といった理論を展開したために,Tolman(トルマン),G.N.Lewis(ルイス)ら当時の著名物理,化学者が支持し,1925 年ごろまで反応理論の主流を形成した.放射説が出現した理由は衝突が原因とは思われなかった単分子反応(1次反応)を説明するためであった.しかし,Lindemann(リンデマン)の見事な理論(衝突説に基づく)が実証されて,この放射説は消滅した.Lindemann 理論は §7・1 に説明する.

5. 素反応の理論

衝突反応説　McC. Lewis のように活性分子の衝突により反応が起こると考えるのでなく，**活性化エネルギー E 以上の相対運動エネルギーをもつ衝突をすれば反応が起こる**とする説を**衝突反応説**という．Langevin(ランジュバン)(1913) は，相対速度 v 以上の高速の衝突数の全衝突数に対する比率は，$\exp(-\frac{1}{2}\mu v^2/RT)$ であるとした．要するに活性化エネルギー E は

$$E = \frac{1}{2}\mu v^2 \qquad (5\cdot 19)$$

すなわち，反応を起こすに最低限必要な相対運動エネルギーであるとする．この説は，すべてを衝突によるとする点で一貫している．頻度因子 A については簡単な剛体球モデルを用い，活性化エネルギーに (5・19)式を用いて計算する．計算値は一般に実測値より大きい．その理由は，反応が起こるためにはすべての方向からの衝突数（計算）ではなく特定方向からの衝突が必要であるためとされている．(5・20)式

$$\frac{A_{実測}}{\sqrt{T}} = p \times \left\{ \pi d_{AB}^2 \left(\frac{8R}{\pi\mu}\right)^{\frac{1}{2}} \right\} \qquad (5\cdot 20)$$

を用いて補正因子 p を算出し，特定方向からの衝突の目安として議論することがある．p を**立体因子** (steric factor) とよんでいる．p を (5・20)式から定めた例を表5・5に掲げる．d_{AB} は衝突分子 A と B の半径 d_A と d_B の和であるが，d_A と d_B には粘度，拡散定数の実測値から算出した値を用いている．

表 5・5　気相2次反応の立体因子

反応	E〔kJ mol^{-1}〕	$\log(A_{実測}$[†1]$/\sqrt{T})$	d_{AB}〔nm〕	p
$H_2 + I_2 \longrightarrow 2HI$	170	9.78	0.35	0.28
$2HI \longrightarrow H_2 + I_2$	183	8.97	0.35	0.44
$2NOCl \longrightarrow 2NO + Cl_2$	108	9.51	0.35	1.1
$2CH_3 \longrightarrow C_2H_6$	～0	9.24	0.35	0.5
$NO + Cl_2 \longrightarrow Cl + NOCl$	82.1	8.00	0.35[†2]	0.014
$NOCl + Cl \longrightarrow NO + Cl_2$	3.1	8.59	0.40[†2]	0.042
$Br + CH_4 \longrightarrow HBr + CH_3$	74.5	9.17	0.30	0.21
$Br + CHCl_3 \longrightarrow HBr + CCl_3$	37.1	7.82	0.50	1×10^{-3}
$C_2F_4 + C_2F_3Cl \longrightarrow cyclo\text{-}C_4F_7Cl$	107.2	6.30	0.50	4×10^{-3}

[†1]　$A_{実測}$ は〔dm^3 mol^{-1} s^{-1}〕
[†2]　正逆の反応だから同じ値を用いるべきであるが，ここでは異なる研究者の計算である．

6

遷 移 状 態 理 論

6・1 Arrheniusの活性分子と衝突状態

　Arrhenius(アレニウス)(1889)の"活性分子"は原系(反応式左辺)と化学平衡にあり，その平衡定数($\vec{K}^*$と書こう)に相当するものが速度定数$\vec{k}$であるとした．$\vec{k}$はつねにs^{-1}の単位を含むから，s^{-1}のみの単位をもつ因子を$\vec{f}$として

$$\vec{k} = \vec{f}\,\vec{K}^* \tag{6・1}$$

としたことになる．すなわち反応は(6・2)式のように進み

$$\text{原系} \xrightleftharpoons{\text{平衡定数}\,\vec{K}^*} \text{活性分子} \xrightarrow{\vec{f}} \text{終系} \tag{6・2}$$

逆反応は(6・3)式のように進む

$$\text{終系} \xrightleftharpoons{\text{平衡定数}\,\overleftarrow{K}^*} \text{活性分子} \xrightarrow{\overleftarrow{f}} \text{原系} \tag{6・3}$$

と考えていることになる．したがって逆反応の速度定数$\overleftarrow{k}$は(6・4)式で表していることになる．

$$\overleftarrow{k} = \overleftarrow{f}\,\overleftarrow{K}^* \tag{6・4}$$

　反応が平衡になれば

$$\text{原系} \xrightleftharpoons{\vec{K}^*} \text{活性分子} \xrightleftharpoons{\overleftarrow{K}^*} \text{終系} \tag{6・5}$$

となり次式が成立する．

$$\frac{\vec{k}}{\overleftarrow{k}} = K_c = \frac{\vec{f}\,\vec{K}^*}{\overleftarrow{f}\,\overleftarrow{K}^*} = \frac{\vec{K}^*}{\overleftarrow{K}^*} \tag{6・6}$$

したがって s^{-1} の単位をもつ $\vec{f}$ と $\overleftarrow{f}$ は等しくなければならないし，正反応の活性化エネルギー $\vec{E}$ と逆反応の活性化エネルギー $\overleftarrow{E}$ は反応熱（エネルギー）ΔE と図 6・1 のような関係になければならない．

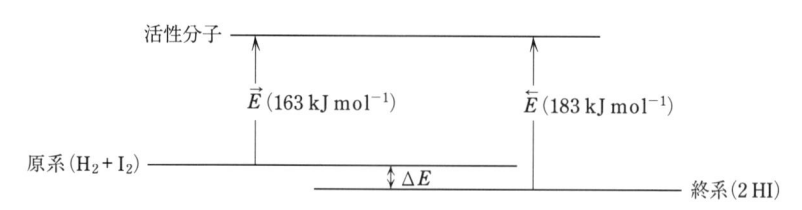

図 6・1 反応の原系・終系と活性分子のエネルギー

つぎに衝突説を考えてみよう．前章の剛体球モデルでは，たとえばつぎの反応

$$H_2 + I_2 \longrightarrow 2\,HI \tag{1・22}$$

と逆反応

$$2\,HI \longrightarrow H_2 + I_2$$

とは表 5・5 に示したように衝突半径 d_{AB} ともに 0.35 nm として衝突数が計算されている．立体因子 p の補正が必要であるということは，反応に具合が良い衝突として図 6・2 のような衝突を考えることになるだろう．

しかし，図 6・1 からみても正逆反応について同一の衝突状態でなければなら

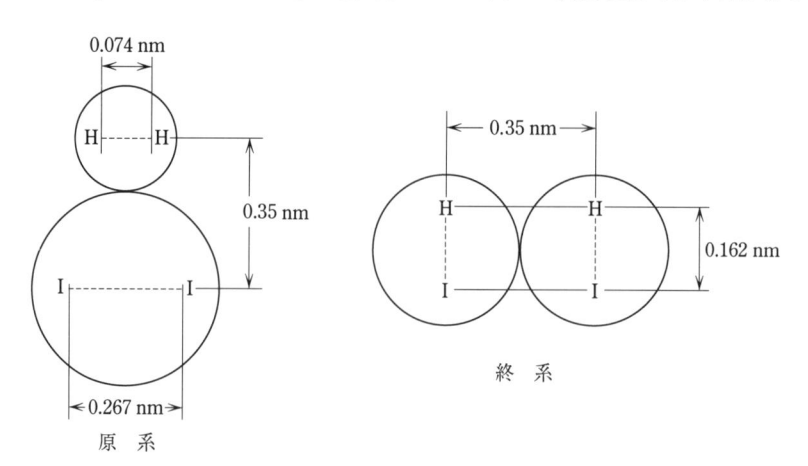

図 6・2 HI 剛体球衝突モデル

ないから，それは図6・3に▓▓で示したような状態（臨界状態とよぶ）にちがいない†．お互いにめり込んだこのような衝突状態が活性分子であると考えるとつじつまが合う．そこで，このような状態が図6・1に示した高いエネルギー

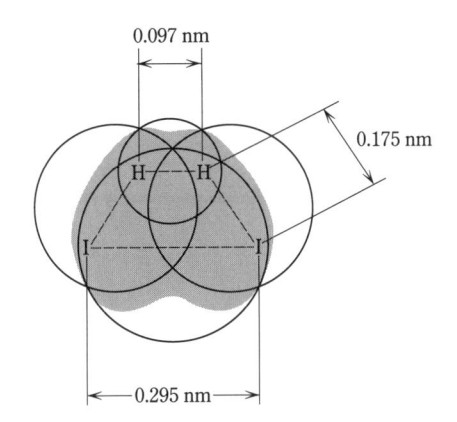

図 6・3 臨界衝突状態（円は分子の剛体球モデル）

にあることが説明できれば素反応が統一的に理解できたことになる．このことに最初に成功したのは，つぎに述べる Eyring–M. Polanyi（アイリング-ポラニ）(1931) の反応ポテンシャル理論である．

6・2 反応ポテンシャル曲面

つぎの**オルト-パラ水素転換反応**（ortho-para hydrogen conversion）

$$H + H_2(\text{パラ}) \longrightarrow H_2(\text{オルト}) + H \quad (6 \cdot 7)$$

は，H の組替えであり約 $30\,\text{kJ mol}^{-1}$ の活性化エネルギーをもつ（表5・3）．反応がどちら向きに進行しても，3個の H 原子が接近して H–H 結合が組替わるわけであるから図6・4のような配置を考えてみる．それぞれの H–H 間のエネルギーはクーロン積分 A, B, C，交換積分 α, β, γ である．ごく接近したときに現

---

† 実際に分子衝突からこのような臨界状態にならないとする説，解離した I 原子2個と H_2 分子の衝突説なども提案されているが，いずれも現在までのところ分子衝突説を否定する決定的な実験的証拠は得られていない．

れる重なり積分 S の影響を無視して，全体のエネルギーを (6・8) 式で表す近似を London(ロンドン)(1929) が提出した.

$$E = A + B + C + \left[\frac{1}{2}\{(\alpha-\beta)^2 + (\beta-\gamma)^2 + (\gamma-\alpha)^2\}\right]^{\frac{1}{2}} \quad (6\cdot 8)$$

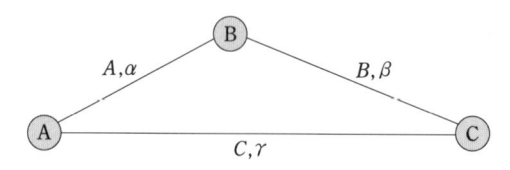

図 6・4 三原子系のクーロン積分 (A, B, C) と交換積分 (α, β, γ)

近似計算 Eyring と M. Polanyi(1931)は，H-H 間の距離によってクーロン積分と交換積分の値の比は変わるのだが，これを一定であると仮定した.

$$\rho = \frac{A}{A+\alpha} = \frac{B}{B+\beta} = \frac{C}{C+\gamma} \quad (6\cdot 9)$$

H_2 の結合エネルギー E_{H_2} は，H-H 間隔を X，平衡距離を X_0 とすると，モース関数

$$E_{H_2} = D\{e^{-2a(X-X_0)} - 2e^{-a(X-X_0)}\} \quad (6\cdot 10)$$

によって表すことができる．D は X_0 におけるエネルギー，a は定数である．これを各 H-H 対，AB, BC, CA の $A+\alpha, B+\beta, C+\gamma$ にあてはめて (6・9) 式により A と α，B と β，C と γ に分ければ任意の配置にある 3 H 系のエネルギー E を容易に (6・8) 式から計算することができる．この近似計算法を **LEP 法** (London-Eyring-Polanyi method) という．一直線上に 3 H がある場合について計算した結果を図 6・5 に示す.

図の OP 沿いの谷は H_2(オルト)+H を，OQ 沿いの谷は $H+H_2$(パラ)を表す．二つの谷底を連ねる最小ポテンシャルの経路は丘型であり，点 O 近くでは丘の頂上となっている．一方，OR 線上では谷底となっている．つまり鞍型のようになっているから，この部分を鞍点 (saddle point) という．これが臨界状態に相当する．図 6・5 に示した計算結果によると，鞍点には小さなくぼみがあるが，頂上の高さは谷底より約 70 kJ mol^{-1}(H_2 の基底エネルギーより約 40 kJ mol^{-1}) である．実測の活性化エネルギーは 30 kJ mol^{-1} である.

6・2 反応ポテンシャル曲面

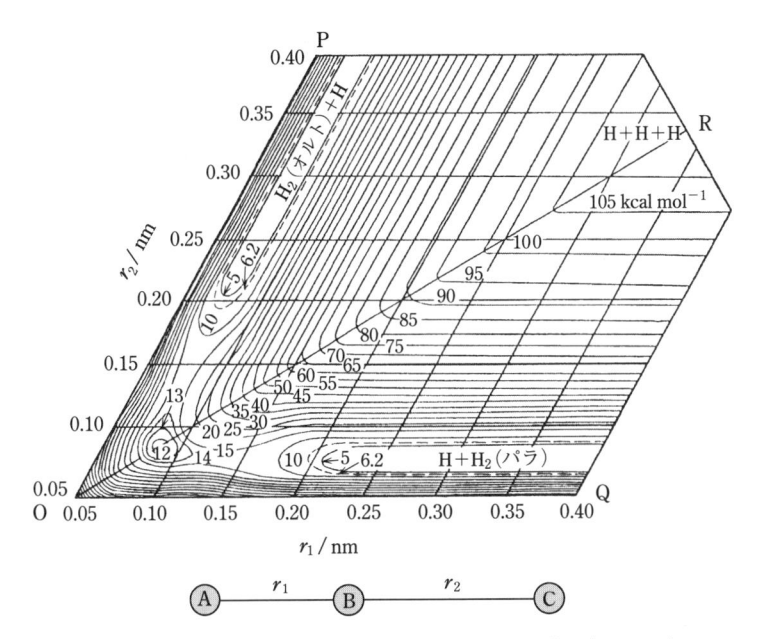

図 6・5 直線形3電子系(3H系)のポテンシャル曲面($\rho=0.14$)
(Eyring, Gershinowitz, Sun による)

このLEP法の計算(1931)ではポテンシャル曲面の鞍部頂上にくぼみが生じたが，それは近似のせいであって近似を進めると消滅する．London近似(6・8)式は，重なり積分Sを無視している．重なり積分Sを考慮する経験法が，佐藤 伸(1955)によって提案された．それによると鞍部頂上のくぼみは現れない．佐藤の方法は現在でも広く用いられており，**LEPS法**(London-Eyring-Polanyi-Sato method)とよばれている．(6・8)式のA, αなどにすべて$1/(1+S)$を乗じた値を用いる計算方法である．最近はコンピューター使用によるさらに精密な計算もなされ，活性化エネルギーや反応熱が数 kJ mol^{-1}の誤差内で計算されている．

さて，EyringとM. Polanyiの計算結果には"仮定が乱暴すぎる．結果は当てにならない"と批判が続いた．M. Polanyi(1938)は批判につぎのように答えている．"反応がこのように進む可能性も認めないとするならば，従来のように400 kJ mol^{-1}のエネルギーを必要とするH_2の解離によって反応が進むと考える

以外にはない．しかし，実測活性化エネルギーはその1/10程度である．計算は確かに正確ではないが，反応がこのように進む可能性を主張するには十分である．"この計算の意義が一般に認められるようになったのは，反応ポテンシャルに基づいた Eyring の活性錯合体理論（1935）提出後のことである．

6・3　Eyring の活性錯合体理論

　反応ポテンシャル曲面の鞍点に相当する原子系の状態は，この状態を越えれば反応が起こる，越えなければ反応が起こらないという臨界状態，すなわち活性分子である．この状態を**活性錯合体**（あるいは活性錯体）(activated complex) とよび，反応原系との化学平衡に統計力学をうまく適用して，Arrhenius 説から衝突説を含む素反応の統一理論をつくりあげたのは Eyring (1935) である．その理論を理解するのに必要な統計力学知識を最初にまとめておく．

　化学平衡の統計力学表示　　熱力学では系を熱力学的諸量によって記述するが，統計力学は系を分子集団の運動状態として記述する．化学反応系の熱力学（§2・3）では化学ポテンシャルを用いた．理想系の成分 B_i の濃度(mol dm^{-3} を単位とした)を $[B_i]$ として，その化学ポテンシャルは (2・21)式に示したように

$$\mu_{B_i} = \mu_{B_i}°(T) + RT \ln[B_i]$$

である．$\mu_{B_i}°(T)$ は $[B_i]=1$，濃度 1 mol dm^{-3} における化学ポテンシャル（温度 T のみの関数）であり，(2・23)式に示したように平衡定数を表すのに使われる．この関数を統計力学では，1分子当たりの化学ポテンシャル (partial potential) とし，つぎのように表す．

$$\mu_{B_i}°(T) = -k_B T \ln q_{B_i} \quad (6 \cdot 11)$$

k_B はボルツマン定数である．関数 q_{B_i} は B_i 分子がとりうる状態（エネルギー値 ε_{B_i} で区別した）数，**分子分配関数** (molecular partition function) であり，次式で表される．

$$q_{B_i} = \sum_{i=1}^{\infty} \exp(-\varepsilon_{B_i}/k_B T) \quad (6 \cdot 12)$$

B_i 分子が n 原子分子であればエネルギーは，$3n$ 次元の運動（3次元の移行運動，3個（直線形分子ならば2個）の回転，残り $3n-6$ 個（直線形分子ならば $3n-5$ 個）の振動）エネルギーに分割できる．直線形分子の場合，それぞれについての

6・3 Eyring の活性錯合体理論

状態数を $q_{B_i,t}$, $q_{B_i,r}$, $q_{B_i,v}$, エネルギーの基準を ε_0 とすれば

$$q_{B_i} = q_{B_i,t}\, q_{B_i,r}\, q_{B_i,v} \exp(-\varepsilon_0/k_B T) \tag{6・13}$$

$$q_{B_i,t} = \left\{\frac{(2\pi m_{B_i} k_B T)^{\frac{1}{2}}}{h}\right\}^3 \tag{6・14}$$

$$q_{B_i,r} = \left\{\frac{8\pi^2 I_{B_i} k_B T}{h^2}\right\} \tag{6・15}$$

$$q_{B_i,v} = \prod_{j=1}^{3n-5} \frac{\exp\left(-\dfrac{h\nu_j}{2k_B T}\right)}{1-\exp\left(-\dfrac{h\nu_j}{k_B T}\right)} \tag{6・16}$$

ここで，m_{B_i} は分子質量，I_{B_i} は慣性モーメント，ν_j は j 番目の基準振動の振動数，h はプランク定数である．したがって，たとえば，アンモニア合成反応 (2・1) の平衡定数 K_C の統計力学表示はつぎのようになり，

$$K_C = \frac{q_A^2}{q_N q_H^3} \tag{6・17}$$

圧力単位の K_P に換算できることはいうまでもない．

Eyring の理論の優れた点は不安定分子である活性錯合体に安定分子の分子分配関数を巧妙に適用して反応原系との平衡関係をつぎのように統計力学的に表現したことにある．

活性錯合体の分子分配関数　活性錯合体を反応ポテンシャル（図6・5）の鞍点付近の状態と定義した．この状態は反応コース沿いの運動以外の運動についてはポテンシャルの谷底になっているから安定分子状態である．問題は反応コース沿いの運動である．いま，図6・6のように反応コース沿いのポテンシャ

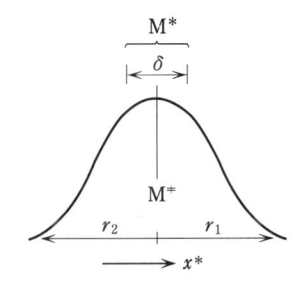

図 6・6　活性錯合体 M* と臨界系 M⁺

ルの山頂（鞍点）の付近の範囲 δ 内に相当する状態を M^* とし，頂上の１点に相当する状態を $M^{\ddagger}$ と定義する．M^* は Eyring の活性錯合体であるが，$M^{\ddagger}$ には名称がないから**臨界系**とよぶことにする．この定義によって，M^* は $M^{\ddagger}$ よりも図 6・6 の δ 内の運動の自由度が多いことになる．図 6・6 の横軸 x^* を**反応座標**（reaction coordinate）という．x^* に沿う運動は図 6・7 に示すように（たと

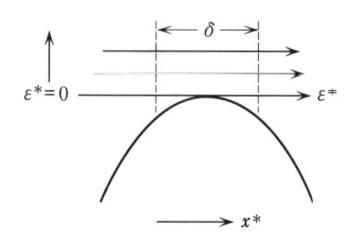

図 6・7　ポテンシャル丘越え

えば左からならば）山頂のポテンシャル $\varepsilon^{\ddagger}$ より高いエネルギーをもった M^* の移行運動（図 6・5 の r_2 が縮み r_1 の伸びる運動，安定な直線 3 原子分子ならば伸縮振動である）である．換算質量を μ^* とすればこの移動運動エネルギー ε^* は（$\varepsilon^{\ddagger}$ のときを 0），速度を $\dot{x}^*$ として

$$\varepsilon^* = \tfrac{1}{2}\mu^*(\dot{x}^*)^2$$

である．δ の範囲内にある M^* の ε^* は 0 から ∞ まで（速度 $\dot{x}^*$ は両方向であるから $-\infty$ から $+\infty$ まで）可能であるから，それに対応する分子分配関数すなわち，$\varepsilon^{\ddagger}$ までの状態（臨界系）の分子分配関数を $q^{\ddagger}$ とすれば $q^*/q^{\ddagger}$ が $\sum_{\varepsilon^*=0}^{\infty} \exp(-\varepsilon^*/k_B T)$ であることになり，計算すると

$$q^*/q^{\ddagger} = \frac{(2\pi\mu^* k_B T)^{\frac{1}{2}}}{h}\delta \qquad (6・18)$$

となる．ここで，q^* は $q^{\ddagger}$ より移行運動の自由度が多いことがわかる†．これに

---

† M^* の分子分配関数 q^* は $\varepsilon^* = \tfrac{1}{2}\mu^*(\dot{x}^*)^2$ からの $\sum_{\varepsilon^*=0}^{\infty} \exp(-\varepsilon^*/k_B T)$ 分だけ $M^{\ddagger}$ の分子分配関数 $q^{\ddagger}$ に付け加わる．M^* の状態は速度が $\dot{x}^*$ と $\dot{x}^* + \mathrm{d}\dot{x}^*$，位置が x^* と $x^* + \mathrm{d}x^*$ の間にあるとして $0 \leq \dot{x}^* < \infty$，$0 \leq x^* < \delta$ として積分すると得られるが，運動量と座標（$\mu^*\dot{x}^*$ と x^*）の決め方には h（プランク定数）程度の不確実さは避けられない（Heisenberg の不確定性原理）ことから $\mu^* \mathrm{d}\dot{x}^* \cdot \mathrm{d}x^*/h$ としておく．こうすると分子分配関数は無次元数となるから状態数となり具合もよい．

6・3 Eyring の活性錯合体理論

よって1次元だけ運動の自由度を欠くが,安定分子として取扱える $M^{\ddagger}$ の分子分配関数 $q^{\ddagger}$ と活性錯合体 M^{*} の q^{*} が記述できたことになる.

Eyring (1935) は活性錯合体を Arrhenius の活性分子,すなわち反応原系と化学平衡にある,と仮定する.したがって,(6・1)式の平衡定数は

$$\vec{K}^{*} = \frac{q^{*}}{q_{原系}}$$

$$= \frac{q^{\ddagger}}{q_{原系}} \left\{ \frac{(2\pi\mu^{*}k_{B}T)^{\frac{1}{2}}}{h} \delta \right\} \quad (6・19)$$

となる.つぎに (6・1)式の時間のみの関数 $\vec{f}$ を考える.

$\vec{f}$ は (6・2)式に示したように活性分子が反応終系へ(活性錯合体 M^{*} が δ の範囲から右側へ)いってしまう確率(単位時間当たり)である.いま右側へ M^{*} が移行する平均速度を $\overline{\dot{x}^{*}}$ とすれば

$$\vec{f} = \frac{\overline{\dot{x}^{*}}}{\delta} \quad [\mathrm{s}^{-1}]$$

$$= \left(\frac{k_{B}T}{2\pi\mu^{*}} \right)^{\frac{1}{2}} \frac{1}{\delta} \quad [\mathrm{s}^{-1}] \quad (6・20)$$

となる†.ここで (6・1)式に戻って (6・19) と (6・20)式を用いれば

$$\vec{k} = \vec{f}\,\vec{K}^{*}$$

$$= \frac{k_{B}T}{h} \frac{q^{\ddagger}}{q_{原系}} \quad (6・21)$$

となる.逆方向(右側から左)への代表点の移行については同じ項上付近 δ 範囲での話であるから (6・4)式は

$$\overleftarrow{k} = \overleftarrow{f}\,\overleftarrow{K}^{*}$$

$$= \frac{k_{B}T}{h} \frac{q^{\ddagger}}{q_{終系}} \quad (6・22)$$

となる.臨界系は安定分子であるからその分子分配関数 $q^{\ddagger}$ は計算で求めることができ,Arrhenius 活性分子説の統計力学的取扱いが可能となったわけである.

---

† 右側への平均速度は
$$\overline{\dot{x}^{*}} = \int_{0}^{\infty} \dot{x}^{*} \exp\left\{-\frac{\mu^{*}(\dot{x}^{*})^{2}}{2k_{B}T}\right\} d\dot{x}^{*} \Big/ \int_{0}^{\infty} \exp\left\{-\frac{\mu^{*}(\dot{x}^{*})^{2}}{2k_{B}T}\right\} d\dot{x}^{*}$$
である.

分子分配関数はエネルギー状態で勘定するから各分子のエネルギー基準を決めておかねばならない．一般に分子の結合エネルギー（結合ポテンシャルの谷底）を ε_0 として，振動・回転のエネルギー状態を勘定する．しかし，最低振動状態においてもつねに基準振動（振動量子数 ν_0）分のエネルギー $\frac{1}{2}h\nu_0$ が存在する．これを補正して分子の基準振動が j 個であれば，

$$\varepsilon_0 - \sum_{j=1}^{\infty} \frac{1}{2} h\nu_0 j = \varepsilon_d$$

として分子分配関数を一般に

$$q_{B_i} = q_{B_i}^{\circ} \exp(-\varepsilon_d^{B_i}/k_B T)$$

と書く．$\varepsilon_d^{B_i}$ は分子 B_i の解離エネルギーである．臨界系も同様にして

$$q^{\neq} = q_0^{\neq} \exp(-\varepsilon_d^{\neq}/k_B T)$$

と書けるから速度定数(6・21)は，エネルギー項を除いた原系の分子分配関数を $q_{原系}^{\circ}$ と略記して

$$\bar{k} = \frac{k_B T}{h} \frac{q_0^{\neq}}{q_{原系}^{\circ}} \exp\left(-\frac{\varepsilon_d^{\neq} - \sum \varepsilon_d^{B_i}}{k_B T}\right) \qquad (6・23)$$

すなわち (1・6)式で表されるアレニウス式の頻度因子 A は

$$A = \frac{k_B T}{h} \frac{q_0^{\neq}}{q_{原系}^{\circ}} \qquad (6・24)$$

となる．

以上をまとめれば，Eyring は Arrhenius 説の

$$k = fK$$

に

$$k = \frac{k_B T}{h} K^{\neq} \qquad (6・25)$$

を与えたのである．

❏ **問題**　質量 m_A と m_B の2原子が接近して臨界系 $M^{\neq}$ となったとする（距離 $r^{\neq}$ のA-B分子）．アレニウス式の頻度因子 A の統計力学表示を求め McC. Lewis の衝突説と比較せよ．

［**解答**］　原子は3次元移行運動のみであるから，エネルギー項を除いた分子分配関数は m_{B_i} を m_A, m_B に変えた (6・14)式に示された形となる．

$$q_\mathrm{A}^\circ = \left\{\frac{(2\pi m_\mathrm{A} k_\mathrm{B} T)^{\frac{1}{2}}}{h}\right\}^3 \qquad q_\mathrm{B}^\circ = \left\{\frac{(2\pi m_\mathrm{B} k_\mathrm{B} T)^{\frac{1}{2}}}{h}\right\}^3$$

臨界系は3次元移行運動のほかに二つの回転運動をしているから,

$$q_0^{\ddagger} = \left\{\frac{(2\pi(m_\mathrm{A}+m_\mathrm{B})k_\mathrm{B} T)^{\frac{1}{2}}}{h}\right\}^3 \left\{\frac{8\pi^2 I^{\ddagger} k_\mathrm{B} T}{h^2}\right\}$$

$$I^{\ddagger} = \mu(r^{\ddagger})^2 \qquad \mu = \frac{m_\mathrm{A} m_\mathrm{B}}{m_\mathrm{A}+m_\mathrm{B}}$$

これらから (6・24)式を用い

$$A = \frac{k_\mathrm{B} T}{h}\frac{q_0^{\ddagger}}{q_\mathrm{A}^\circ q_\mathrm{B}^\circ} = \left(\frac{8k_\mathrm{B} T}{\pi\mu}\right)^{\frac{1}{2}} \pi (r^{\ddagger})^2$$

質量をモル当たり (k_B の代わりに気体定数 R), 衝突半径とみなせる $r^{\ddagger}$ を m 単位とすれば McC. Lewis の衝突の諸式 ((5・13)式など) と一致する.

6・4 活性化エントロピー

平衡定数 $K^{\ddagger}$ に統計力学表示が可能であれば, 当然熱力学表示が可能である.

平衡定数の熱力学表示　平衡定数の熱力学表示は一般に

$$K_P = \mathrm{e}^{-\Delta G^\circ/RT} \qquad (6・26)$$

である. 平衡を表すのに用いられている化学ポテンシャルは, 温度 T, 圧力 P 一定においてはギブズエネルギーであり, 298.15 K (25℃), 1 bar における理想気体を基準とする標準ギブズエネルギー値から計算できる. ギブズエネルギー G° とエントロピー S°, エンタルピー H°, 内部エネルギー U° との関係は

$$G^\circ = H^\circ - TS^\circ$$
$$= U^\circ + PV - TS^\circ$$

である. したがって

$$K_P = \mathrm{e}^{\Delta S^\circ/R}\mathrm{e}^{-\Delta H^\circ/RT} \qquad (6・27)$$

と表される.

Evans と M. Polanyi (1935) は $K^{\ddagger}$ に熱力学表示を与えた. 臨界系の熱力学諸量に ‡ 印をつけて活性化の諸量とよぶことにすると

$$K_P^{\ddagger} = \mathrm{e}^{-\Delta G^{\ddagger}/RT} \qquad (6・28)$$

$$= \mathrm{e}^{\Delta S^{\ddagger}/R}\mathrm{e}^{-\Delta H^{\ddagger}/RT} \qquad (6・29)$$

となる．$\Delta G^{\ddagger}$ は活性化ギブズエネルギー，$\Delta S^{\ddagger}$ は**活性化エントロピー**(entropy of activation)，$\Delta H^{\ddagger}$ は**活性化エンタルピー**(enthalpy of activation)である．

アレニウス式(1・6) の活性化エネルギー E は

$$RT^2 \frac{\mathrm{d}\ln k}{\mathrm{d}T} = E \tag{3・21}$$

の手続きで実験から算出されているから，$k_P = \frac{k_B T}{h} K_P^{\ddagger}$ とおくと (6・29)式とから

$$E = \Delta H^{\ddagger} + RT \tag{6・30}$$

となる．したがって，

$$k_P = \mathrm{e}\frac{k_B T}{h} \mathrm{e}^{\Delta S^{\ddagger}/R} \mathrm{e}^{-E/RT} \tag{6・31}$$

となる．ここで圧力表示の速度定数 k_P の頻度因子が $\Delta S^{\ddagger}$ によって表されたことになる．

濃度基準の場合には1成分につき，

$$H° = U° + RT$$

であるから，臨界系の分子数 (1) と原系の分子数との差を $\Delta n^{\ddagger}$ とすれば

$$K_C^{\ddagger} = \mathrm{e}^{-\Delta n^{\ddagger}} \mathrm{e}^{\Delta S^{\ddagger}/R} \mathrm{e}^{-\Delta U^{\ddagger}/RT} \tag{6・32}$$

となる．(3・21)式と $k_C = (k_B T/h) K_C^{\ddagger}$ より

$$E = \Delta U^{\ddagger} + RT$$

したがって (6・32)式より

$$k_C = \frac{k_B T}{h} K_C^{\ddagger} = \mathrm{e}^{-(\Delta n^{\ddagger}-1)} \frac{k_B T}{h} \mathrm{e}^{\Delta S^{\ddagger}/R} \mathrm{e}^{-E/RT} \tag{6・33}$$

$\Delta n^{\ddagger}$ は $M^{\ddagger}$ と原系との分子数変化を表す．**臨界系はつねに1分子**であるから，原系が2分子であれば $\Delta n^{\ddagger} = -1$ である．

以上の結果からアレニウス式の頻度因子は

分圧表示　　　　　$A = \mathrm{e}\frac{k_B T}{h} \mathrm{e}^{\Delta S^{\ddagger}/R} \tag{6・34}$

濃度表示　　　　　$A = \mathrm{e}^{-(\Delta n^{\ddagger}-1)} \frac{k_B T}{h} \mathrm{e}^{\Delta S^{\ddagger}/R} \tag{6・35}$

で与えられることになる．この結果は実測された頻度因子から活性化エントロ

ピーを推定し，つぎの問題に例示するような議論ができることを示す．

❏ **問 題** 気相2分子反応であるエチレン（エテン）二量化（dimerization）
$$2\,C_2H_2 \longrightarrow C_4H_8$$
のエチレン分圧 P_E の減少速度の実測結果は
$$r = -\frac{dP_E}{dt} = k_P P_E^2$$
であり，k_P [atm^{-1} h^{-1}] は $T=623$ K で 0.0056，$T=723$ K で 0.243 であった．このデータから，1) アレニウス式の活性化エネルギー E と $T=623$ K における頻度因子 A を算出せよ．2) 頻度因子から活性化エントロピー $\Delta S^{\ddagger}$ 値を求めよ．

［**解 答**］ 活性化エネルギー E を2点法（p.28）によって求めると，$E=141$ kJ mol^{-1}，623 K の k_P 値より $A=3.77\times10^9$ [atm^{-1} h^{-1}]$=1.03\times10^6$ [bar^{-1} s^{-1}] を得る．この頻度因子値 1.03×10^6 [bar^{-1} s^{-1}] に基準の1 bar を乗じ，標準エントロピー差 $\Delta S^{\ddagger}$ をつぎのように求める．

$$\begin{aligned}
\Delta S^{\ddagger} &= R \ln\left\{A\left(\frac{h}{k_B T}\right)\mathrm{e}^{-1}\right\} \\
&= 8.31\,[\mathrm{J\,K^{-1}\,mol^{-1}}] \ln\left\{1.03\times10^6\,[\mathrm{s^{-1}}]\frac{6.63\times10^{-34}\,[\mathrm{J\,s}]}{1.38\times10^{-23}\,[\mathrm{J\,K^{-1}}]\,623\,[\mathrm{K}]\,2.72}\right\} \\
&= -144.1\,\mathrm{J\,K^{-1}\,mol^{-1}}
\end{aligned}$$

エチレン（エテン）の標準モルエントロピー値（1 bar, 298.15 K における）は 219.6 J K^{-1} mol^{-1} であるから臨界系の標準モルエントロピーは，$219.6\times2-144.1=295.1$ [J K^{-1} mol^{-1}] と推定される．生成物はブテン類（異性体がある）であり，標準モルエントロピーはほぼ 300 J K^{-1} mol^{-1} である．したがって，臨界系はほとんどブテンの状態に等しいと推定しうる．

6・5 遷移状態理論の有効性と限界

Eyring（1935）の活性錯合体理論と Evans, M. Polanyi（1935）の熱力学理論を合わせて**遷移状態理論**（transition-state theory），あるいは**活性錯合体理論**（theory of activated-complex）とよんでいる．

この理論は統計熱力学理論であるから気体運動論に立脚する衝突理論を包括している．したがって，衝突理論が実験と合わせるために導入した補正因子（立体因子 $p\leq1$，(5・20)式）につぎのような合理的説明を与えることができる．

6. 遷移状態理論

立体因子の説明　a 原子分子 A と b 原子分子 B（いずれも非直線形）の素反応を考える．エネルギー項を除いた各分子分配関数はつぎのように書ける．

$$q_A{}^\circ = (q_t{}^A)^3 (q_r{}^A)^3 (q_v{}^A)^{3a-6} \tag{6・36}$$

$$q_B{}^\circ = (q_t{}^B)^3 (q_r{}^B)^3 (q_v{}^B)^{3b-6} \tag{6・37}$$

$$q_0{}^\ddagger = (q_t{}^\ddagger)^3 (q_r{}^\ddagger)^3 (q_v{}^\ddagger)^{3(a+b)-7} \tag{6・38}$$

q_t, q_r, q_v は移行，回転，振動各 1 次元当たりの分子分配関数である．頻度因子 A は (6・24) 式により

$$A = \frac{k_B T}{h} \frac{q_0{}^\ddagger}{q_A{}^\circ q_B{}^\circ}$$

$$= \left\{ \frac{k_B T}{h} \frac{(q_t{}^\ddagger)^3 (q_r{}^\ddagger)^2}{(q_t{}^A)^3 (q_t{}^B)^3} \right\} \frac{q_r{}^\ddagger (q_v{}^\ddagger)^{3(a+b)-7}}{(q_r{}^A)^3 (q_r{}^B)^3 (q_v{}^A)^{3a-6} (q_v{}^B)^{3b-6}}$$

{ } は§6・3 の問題に示した 2 原子反応の頻度因子（McC. Lewis 衝突説の (5・13) 式）とみなせるから，残りの部分が多原子分子の内部運動のために付け加わった因子である．簡単のために，桁数の数値計算をすることにして，q_r, q_v は分子によらず同じとすれば余分な因子（p と書く）は

$$p \simeq \left(\frac{q_v}{q_r} \right)^5 < 1 \tag{6・39}$$

となる．一般の分子では $(q_v/q_r) \sim 10^{-1}$ 程度であるから $p \simeq 10^{-5}$ 程度となる．ただし $q_r{}^\ddagger$ は $q_r{}^A$, $q_r{}^B$ よりつねに大きいから，$p \simeq 10^{-5}$ は複雑な構造の多原子分子衝突の立体因子 p の最小値である．

透過係数　衝突理論が補正因子 p（立体因子）を必要としたことは衝突理論の限界を示している．同様に，遷移状態理論にも理論の限界を示している補正因子がある．それは**透過係数**（transmission coefficient）κ（カッパー）である．遷移状態理論では，反応座標のポテンシャル頂上の臨界系が右へ（生成系へ）移行する数を反応速度とした．一度逆戻りしてから右へ移行した数も，n 回往復してから右へ移行した数も全部勘定していることになるから，確実に生成系にたどりつく数（反応速度）は一部分である．この補正係数が κ であり，真の反応速度定数は

$$k = \kappa \frac{k_B T}{h} K^\ddagger \quad (\kappa \leq 1) \tag{6・40}$$

6・5 遷移状態理論の有効性と限界

としなければならない．この補正因子 κ は山頂付近のポテンシャルの状況と臨界系の内部エネルギーの分布（回転と振動）などによって決まる．ポテンシャル丘の幅が狭いとき，たとえば軽い原子系（H など）の臨界系の移行はトンネル効果によって起こる．原系と終系の電子状態が異なれば臨界系の移行は異電子状態間の遷移確率によって決まる．このように遷移状態理論はより高次な理論，詳細な分子・原子運動の量子力学によって議論されなければならない．

遷移状態理論の限界はこの補正因子 κ の導入に示されているということは，いいかえれば遷移状態理論によってこの補正の必要性が明らかになったといってもよい．実際に，図 6・5 のポテンシャル山頂付近（くぼみがある）について，Hirschfelder, Eyring, Topley (1936) の計算が発表されている（図 6・8）．直線形の 3H 系を $H(a) \xrightarrow{R_1} H(b) \xrightarrow{R_2} H(c)$ と表し，安定分子 $H_2(ab)$ に $H(c)$ がポテンシャル山頂（くぼみの手前，図の＊印）を越えるに必要なよりも 300 cal mol^{-1} 大きい移行運動エネルギーで接近するとする．代表点（直線形 3H 系の構造を示す）の動きは図 6・8 の矢印を付した太線となる．300 cal mol^{-1} の余分な運動エネルギー（$\frac{1}{2}m_H v^2$）から接近速度 v を概算すると約 10^3 m s^{-1} となるから図 6・8 の 0.01 nm を通過するには 10^{-14} s（10 フェムト秒）の短時間でよいことになる．太線は移行運動エネルギーが H_2 分子の振動エネルギーに伝わる様子と山頂（くぼみ）付近での代表点の複雑な運動を示している．このような太線を反応の**トラジェクトリー**（trajectory）とよぶ．図 6・8 の計算は最初の反応トラ

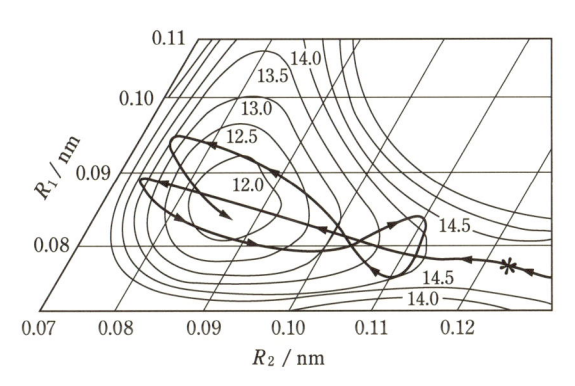

図 6・8　最初の反応トラジェクトリー計算図
[Hirschfelder, Eyring, Topley(1936)]

ジェクトリーの理論的計算であり，ポテンシャル曲面から κ を理解する試みであったが，ポテンシャル曲面計算自体が粗い近似であったため理解されなかった．しかし，ポテンシャルの計算精度の上昇，フェムト秒単位の観測技術開発を誘起したのは遷移状態理論の成功にあった．

臨界系と原系の平衡の仮定　遷移状態理論では臨界系が原系と化学平衡にあるとして取扱ってきた．Arrhenius 説で活性分子と原系が平衡にあるとしたことはだれにも理解されなかったといってよいが，遷移状態理論も当初から Guggenheim（グッゲンハイム）と Fowler（ファウラー）（統計熱力学書で有名）の痛烈な批判を浴びた．化学反応が進行している系は非平衡系であるから，原系と生成系とはもちろん平衡にはない．しかも，臨界系は不安定化学種である．化学平衡を仮定する根拠は，Guggenheim のいうとおり存在しないのである．この点に関しては，この仮定の結果が良い結果を与えるから妥当なのではなかろうか，という弁解しかできなかった．Fowler は，反応速度がきわめて遅ければ平衡近似が成立するかもしれない，と述べた．後に Prigodine（プリゴジン）(1951) が普通の反応（$E \gg RT$）ではこの仮定が良い近似で成立することを明らかにした．現在でもこの仮定の近似度が議論されるが，反応進行中に分子間の衝突数にどの程度の影響が現れるかの理論的計算によっている．簡単にいえば，反応進行中の系に Maxwell-Boltzmann（マクスウェル・ボルツマン）のエネルギー分布則が成立していればこのような仮定は成立する．

M. Polanyi 学派

6 章で述べた理論のすべてが，ベルリンのカイザーウィルヘルム協会物理化学・電気化学研究所（当時の所長 Haber(ハーバー)，いわゆる Haber 研究所，現在のプランク協会ベルリン研究所）の M. Polanyi 研究グループから生まれた．M. Polanyi は吸着ポテンシャル説，$H_2 + Br_2$ 反応研究で知られて協会の繊維研究所に入所し，X 線結晶回転法，結晶転位説などの業績をあげた（のちにアメリカ高分子学のリーダーとなる H. Mark(マーク) は助手の一人）．その後 Haber 研究所に迎えられて化学反応の量子論的研究を開始した．大塚明郎（帰国後東京教育大学に光学研究所創設），児玉信次郎（京都大学工学部教育に量子論を導入，当時の助教授福井謙一は反応電子論

6・5 遷移状態理論の有効性と限界

でノーベル化学賞受賞）との希釈炎研究（§7・2），ベルリン工科大学院生 E. Wigner（ウイグナー．のち渡米，原子核理論でノーベル物理学賞受賞）との反応量子理論，ついでカリフォルニア大学からの留学生 Eyring とポテンシャル曲面論展開を行った．

Eyring は帰国してプリンストン大学に赴任し，ポテンシャル曲面を多くの反応に適用しながら活性錯合体理論を打ち立てた．1933年ナチスの迫害を受け，ゲッチンゲン大学に留学中の堀内寿郎を伴って，マンチェスター大学に移った M. Polanyi は，水素の同位元素（D）を反応研究に導入した（最初の学生が D. D. Eley（イーレー））．堀内は帰国後北海道大学に赴任し電極反応を研究，触媒研究所を創設し，堀内理論を構築した（§9・4）．Eyring 研究室に留学していた M.G.Evans（エバンス）は Polanyi 研究室に戻り反応速度の熱力学表示（§6・4）ならびに反応ポテンシャル曲面論を完成し Polanyi の後継者の地位を確かなものとした．堀内の仕事をひき継いだ留学生 M. Calvin（カルビン）は，カリフォルニア大学に戻り光合成でノーベル化学賞受賞といった具合である．

マンチェスター大学在任中の M. Polanyi は，ノーベル賞候補に推薦される話が出たさいに，社会学科教授就任を希望し，かなえられた．その後百編の哲学論文のほか著書 "Personal Knowledge"（1958）（"個人的知識" 長尾史郎訳，ハーベスト社（1985））によって "暗黙知" 提唱の哲学者としても著名となる．化学学生向けの論文は "創造的想像力"（慶伊富長編訳，ハーベスト社（1986））として邦訳出版されている．M. Polanyi はハンガリー出身，医学生時代19歳から論文を発表，軍医として第一次大戦に従軍後化学者に転向さらに哲学にも優れた独創性を発揮した極めて異能の人である．次兄は経済人類学創始者 Karl Polanyi である．なお，次男 John Polanyi はマンチェスター大学化学科卒，M. G. Evans の指導を受けてのちプリンストン大学を経てトロント大学に転じ，分子線交差法（§7・2）による反応研究でノーベル賞を受賞した．

Michael Polanyi（1891～1976）．1930年前半頃の肖像

7

気 相 反 応

7・1 単分子反応

下記の二つの反応

　　N_2O_5 の熱分解　　　　　$2\,N_2O_5 \longrightarrow 4\,NO_2 + O_2$

　　アゾメタンの熱分解　　　$CH_3-N=N-CH_3 \longrightarrow C_2H_6 + N_2$

などは気相1次反応である．気相1次反応は，衝突によって起こるとは思われなかったから特に**単分子反応**（unimolecular reaction）とよばれ，その反応メカニズムが議論された．Perrin（ペラン）(1919)らの光によって反応が起こるという放射説が対象としたのもこの反応であった．放射説が葬られたのは，つぎの Lindemann（リンデマン）(1922) の理論が実験的に確かめられたからである．

気相分子 A の単分子反応

$$A \longrightarrow B + C \qquad (7\cdot1)$$

は大量に存在する A 分子どうしの衝突により活性化された分子 A^* を可逆的に生成し

$$A + A \underset{k_2}{\overset{k_1}{\rightleftharpoons}} A^* + A \qquad (7\cdot2)$$

その A^* が分解することによって進行する．

$$A^* \overset{k_3}{\longrightarrow} B + C \qquad (7\cdot3)$$

7・1 単分子反応

定常状態近似（§4・2参照）を A^* に適用すると，

$$-\frac{d[A]}{dt} = \frac{k_3 k_1 [A]}{k_2 [A] + k_3}[A] \tag{7・4}$$

となる．高圧のときには

$$k_2[A] \gg k_3$$

したがって，

$$-\frac{d[A]}{dt} = \frac{k_3 k_1 [A]}{k_2 [A] + k_3}[A] \simeq \frac{k_3 k_1}{k_2}[A] \tag{7・5}$$

低圧では，

$$k_2[A] \ll k_3$$

$$-\frac{d[A]}{dt} = \frac{k_3 k_1 [A]}{k_2 [A] + k_3}[A] \simeq k_1 [A]^2 \tag{7・6}$$

となる．このメカニズムを **Lindemann 機構**（Lindemann mechanism）という．低圧の2次反応の状況では，単純な衝突によって反応が起こると解釈しうるから問題はない．高圧領域の1次反応も，衝突素反応 (7・2)式が平衡にあり，分解素反応 (7・3)式が律速であると割切ってしまえばわかったような気になる．しかし，よく考えてみると不思議なことである．**衝突によって余分なエネルギーを得た A^* がただちに分解せずに存在しうるということが不思議なのである．**

衝突理論の立場からこの問題を論ずることはかなり難しいことである．最初にこの疑問に答えたのは，Hinshelwood（ヒンシェルウッド）(1926) であった．より精細に取扱ったのは Kassel(1928), Rice, Ramsberger(1927~1928) である．いずれも，衝突によって得たエネルギーは，分子内部の振動運動のエネルギーとして分布されるが，切断される結合にたまたまエネルギーが集中したときに分解が起こるとする説明である．遷移状態理論による解釈（Rice, Marcus(マーカス) 1951）から，エネルギー分布には全振動が関与することがわかった．これらの取扱いは，**RRKM 理論**（Rice-Ramsberger-Kassel-Marcus theory）とよばれている．衝突エネルギーが振動エネルギーに移行するのは分解に比べてさほど速くないと考える Slater(スレーター)(1959) の理論もあり，衝突エネルギーがいかに反応に関与するかをめぐって，気相単分子反応の実験的研究が進展した．

7・2 分子線による反応の研究（分子線交差法）

エネルギーのかなり狭い範囲にあるアルカリ金属分子線とハロゲン化アルキル分子線を真空中に交差させ，衝突反応による生成物の散乱状況を測定する方法が最近さかんに用いられている．この方法を**分子線交差法**(crossed-molecular beam experiment)とよんでいる．図7・1は分子線交差のモデルを示したもので

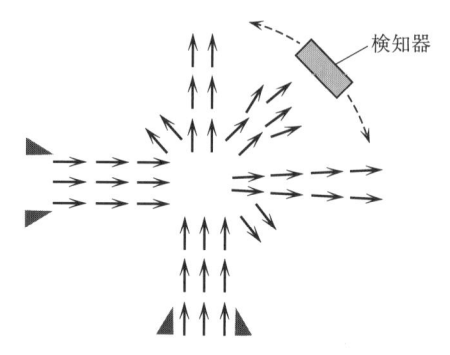

図 7・1 分子線交差法．実線の矢印は分子線を表す

ある．このような実験はCdとI_2（またはS_8）についてKröger(1925)により最初に行われたが，はっきりした分子線が得られなかったため，明確な結果が得られなかった．その後，Na原子とハロゲン化アルキルRXとの素反応がやや異なる角度からM. Polanyi(ポラニ)，大塚明郎ら(1926〜30)によって研究された．それは**希釈炎の実験**(dilute-flame experiment)とよばれ，たとえば$Na+N_2$をCH_3I蒸気中に流入させNaI生成熱によるNa発光を調べ反応速度を知る巧妙な方法である．M. Polanyiらは異なる温度での実験から活性化エネルギー$E=1.5$〔kJ mol^{-1}〕を得た．この実験から求められた頻度因子の値は断面積（πd^2；p. 44参照）を3.5×10^{-19} m^2（気体運動論の10倍）とすれば，衝突理論で計算した頻度因子の値と一致する．

超高真空技術が発達し，スピードをそろえた分子線を交差させる方法，分子線交差法を用いたHerschbach(ハーシュバッハ)らの研究(1961)（図7・2）の結果からも，平均衝突断面積（3.0×10^{-19} m^2）が得られた．その後J.Polanyiは$F+H_2\rightarrow HF+H$の反応を分子線交差法により詳細に研究し，生成HF分子の振動準位・回転準位まで明らかにした．生成物は多くの場合入射粒子の方向へ逆戻

7・3 連鎖反応と爆発反応

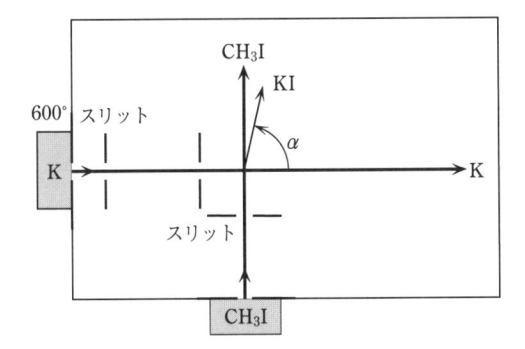

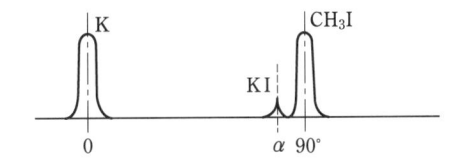

図7・2 $K + CH_3I$ 分子線交差実験（上）と散乱分布（下）．生成物 KI は K 分子線から α の角度で散乱している

り（反跳）（図の $\alpha > 90°$）する．$K + I_2 \rightarrow KI + I$ では入射粒子の進行方向に散乱する．これも衝突断面積が大きい．これらの衝突断面積が大きいのは，衝突直前に電子移動が起こりイオン対で衝突するためであることが明らかとなった．K が I_2 に電子を打込むから銛打ち機構とよばれている．

7・3 連鎖反応と爆発反応

HI 生成反応

$$H_2 + I_2 \longrightarrow 2\,HI \tag{1・22}$$

は温和に進行する気相2次可逆反応である．HBr 生成反応

$$H_2 + Br_2 \longrightarrow 2\,HBr \tag{1・19}$$

は反応経路

$$
\left.
\begin{array}{ll}
(\text{I}) & Br_2 \overset{k}{\rightleftarrows} 2\,Br \\
(\text{II}) & Br + H_2 \longrightarrow HBr + H \\
(\text{III}) & H + Br_2 \longrightarrow HBr + Br \\
(\text{IV}) & H + Br \longrightarrow HBr
\end{array}
\right\} \tag{7・7}
$$

によって進行し（II）を律速とする定常反応として観測される．HCl 生成反応
$$H_2 + Cl_2 \longrightarrow 2\,HCl \tag{7・8}$$
は（7・7）と同様な反応経路で進行するが，経路中最も遅い素反応（II）が Cl では速いため，素反応（II）と（III）の速い繰返しによって進行する高速な不可逆反応である．表 7・1 は，ハロゲンと水素の素反応の反応熱 $\Delta H°$，エントロピー $\Delta S°$，活性化エネルギー E を示す．表の第 3 行目の素反応（吸熱反応 $X+H_2 \to HX+H$）の活性化エネルギーの違いが反応挙動の違いに現れているのである．

表 7・1　ハロゲンと水素の素反応の定数〔単位: $kJ\,mol^{-1}$〕

素 反 応	X=Cl $\Delta H°$	$\Delta S°$	E	X=Br $\Delta H°$	$\Delta S°$	E	X=I $\Delta H°$	$\Delta S°$	E
$X_2 \rightleftharpoons 2\,X$	243	107		193	105		148	87.9	
$2X+M \to X_2+2M$	−243	−107	～0	−193	−105	～0	−148	−87.9	～0
$X+H_2 \to HX+H$	4.2	5.9	19～26	69.5	7.5	73.7	138	9.6	140
$H+X_2 \to HX+X$	−189	14	8～17	−173	13	4	−151	11.7	0
$H+HX \to H_2+X$	−4.2	−5.9	15～21	−69.5	−7.5	4	−138	−9.6	2

ただし，この場合の反応速度は観測しやすい温度領域で測られていることに注意してほしい．I_2，Br_2 の反応も高温では Cl_2 の反応挙動を示すし，Cl_2 の反応も低温（170 °C 以下）では Br_2 と同じ反応挙動を示す．いずれにしても，（7・7）のような反応経路は（II）と（III）が速ければ（II）と（III）の繰返しによって反応が進む．このような反応を **連鎖反応**（chain reaction），（II）と（III）を支えている中間体 H とハロゲン原子を **連鎖のキャリヤー**（chain carrier），（II）と（III）を **連鎖伝播反応**（chain propagation reaction），キャリヤーを生成する反応を **開始反応**（initiation reaction），（IV）を **停止反応**（termination reaction）とよぶ．1 個のキャリヤーが生成する生成分子数を **速度論的連鎖長**（kinetic chain-length）とよび

$$-\frac{d[H_2]}{dt}\Big/ v_i = L \tag{7・9}$$

によって表す．v_i は開始反応の速度である．

酸素水素爆鳴気　　金属触媒なしでは気相反応
$$2\,H_2 + O_2 \longrightarrow 2\,H_2O \tag{7・10}$$

7・3 連鎖反応と爆発反応

は約 600 ℃ 以上で爆発的に進行する．H_2 と O_2 の化学量論的混合ガス（2対1）が爆鳴気とよばれるのはそのためである．この反応にはつぎの主要な伝播反応と停止反応が考えられている．

$$
\left.
\begin{array}{rl}
(\text{I}) & H + O_2 \longrightarrow OH + O \\
(\text{II}) & O + H_2 \longrightarrow OH + H \\
(\text{III}) & H_2 + O_2 + H \longrightarrow 2OH + H \\
(\text{IV}) & OH + H_2 \longrightarrow H_2O + H
\end{array}
\right\} 伝播
\qquad (7・11)
$$

$$
\left.
\begin{array}{l}
H + O_2 + M \longrightarrow HO_2 + M \\
H, OH, HO_2 + 器壁 \longrightarrow 安定分子
\end{array}
\right\} 停止
$$

伝播反応（Ⅰ），（Ⅱ）はともにキャリヤー1個から2個のキャリヤーを生じ，（Ⅲ）は3個のキャリヤーを生じる．このような伝播を含む連鎖反応を**分枝連鎖反応**（branching chain reaction）とよび，(7・7)式のような場合を**無分枝連鎖反応**（non-branching chain reaction）または**直鎖（状）連鎖反応**（straight-chain reaction）とよんで区別する．無分枝連鎖反応の反応速度は，速度論的連鎖長 L の時点において，(7・9)式より，

$$
-\frac{d[H_2]}{dt} = v_l L \qquad (7・12)
$$

である．いま1個のキャリヤーから2個のキャリヤーを生成する分枝連鎖反応であれば，同じ時間内に生成したキャリヤー数 γ は，

$$
\gamma = 1 + 2 + 2^2 + 2^3 + \cdots + 2^L = 2^{L+1} - 1
$$

である．したがって速度は (7・12)式の γ/L 倍となる．もし $L=99$ とすれば $\gamma/L \simeq 10^{28}$ である．爆鳴気が爆発的に進行するのはこのためである．爆発はキャリヤーの生成と停止に関係するから，圧力，温度および反応器の大きさ，器壁の種類に関係する．

図7・3はある反応器（壁面を不活性とするため KCl を塗布してある）について得られた爆鳴気が爆発を起こすさいの全圧と温度との関係（G. von Elbe, B. Lewis 1942）を示したものである．温度，全圧により異常な爆発限界を示すことについては，つぎのような説明がなされている．全圧が第2限界より増加すると反応性の低い HO_2 が多くなり，定常的燃焼反応となる．さらに高圧（第3限界以上）では反応熱蓄積が起こり，再び爆発となる（Emannel 1973）．

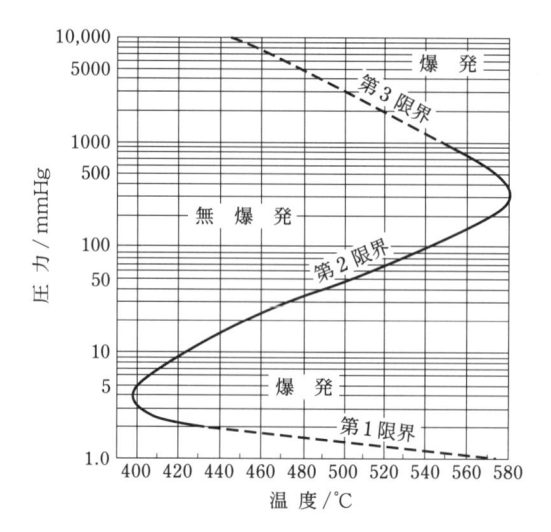

図 7・3 爆発限界（KCl 塗布の内径 7.4 cm 球形反応器）．580 ℃ 以上ではつねに爆発，それ以下 400 ℃ までは爆発を起こす圧力限界があることを示している

❏ **問題** $R_1\cdot$ ラジカルを中間体とする反応

開 始　　$R_1 + M \longrightarrow R_1\cdot + M$　　$v_1 = k_1[M][R_1]$

停 止　　$R_1\cdot + M \longrightarrow R_1 + M$　　$v_2 = k_2[M][R_1\cdot]$

伝 播　　$R_1\cdot + R_2 \underset{\alpha}{\overset{1-\alpha}{\longrightarrow}} P_1 + P_2$　　$v_3 = k_3[R_2][R_1\cdot]$

　　　　　　　　　↘ β 個の $R_1\cdot$

について爆発条件を論ぜよ．α は β 個の $R_1\cdot$ を生じる反応の起こる確率を表す．

[**解 答**] 定常状態近似を $R_1\cdot$ に適用すると

$$v_1 - v_2 - v_3(1-\alpha-\alpha\beta) = 0$$

$$v_1 = [R_1\cdot]\{k_2[M] + k_3[R_2](1-\alpha-\alpha\beta)\}$$

反応速度 $v_3(1-\alpha)$ にここで決まる $[R_1\cdot]$ を用いれば

$$\frac{d[P_1]}{dt} = v_3(1-\alpha) = \frac{v_1(1-\alpha)}{(v_2/v_3) + (1-\alpha-\alpha\beta)}$$

$\alpha=0$ のとき，定常近似式は $v_3=v_1-v_2$ であり，v_3 は $R_1\cdot$ 生成速度すなわち開始反応速度 v_1 となる．

$$v_1 = \frac{v_1}{(v_2/v_3) + 1}$$

これを (7・9) 式に用いれば速度論的鎖長 L は

$$L = \frac{d[P_1]}{dt} \Big/ v_1 = \frac{1-\alpha}{1-\dfrac{\alpha(1+\beta)}{1+(v_2/v_3)}}$$

である．ここで
- $\beta = 1$ なら無分枝連鎖反応
- $\beta > 1$ ならば分枝連鎖反応
- $\alpha(1+\beta) \geq 1+(v_2/v_3)$ ならば定常状態近似が成立せず爆発

となる．

7・4 衝撃波による反応研究

気体反応，特に高速気体反応の研究に**衝撃波** (shock wave) が用いられ，爆発反応のメカニズムの解明，2原子分子の解離反応速度測定に成果をあげている．内径数cmの金属筒（長さ数m以上）の一端にやや高圧のガスを薄い金属板で封じ，圧力を上げ金属板を破り低圧側に噴出させると衝撃波を生じる．波のフロント（前面）では 1000～5000 K 程度の高温となる．この昇温は 10^{-9} s 程度のきわめて短時間内に達成されるから，生成ラジカルは器壁に拡散失活する余裕はほとんどない．したがって完全な均一系反応を出現させることができる．最も典型的な温度ジャンプ法である（§8・2参照）．衝撃波フロント通過直後の気体密度（すなわち濃度）を光学的方法で追跡すれば，2原子分子気体は解離により圧力上昇をきたすから速度が測れることになる．アルゴン中でのハロゲン分子などの解離の活性化エネルギーは観測の結果，

I_2	130 kJ mol^{-1}	(1000～1800 K)
Br_2	170 kJ mol^{-1}	(1200～2200 K)
Cl_2	210 kJ mol^{-1}	(1600～2500 K)
F_2	130 kJ mol^{-1}	(1000～1600 K)
H_2	400 kJ mol^{-1}	(2800～5000 K)

のように得られた．平均観測温度での解離熱は熱力学的な値とほとんど変わっていない．アルゴンをほかの不活性ガスに変えると解離速度に対する不活性ガスの影響がわかる．アルゴン中の I_2 解離速度を1としたときの他のガス中の速度は，He(0.5)，N_2(1.0)，O_2(1.2)，CO_2(1.6) であった．

さて，ここで衝撃波フロント付近の実例を一つ紹介しよう．図7・4は，$H_2 + O_2$系の衝撃波フロント付近でのOH濃度を示す（Schottら1958）．OH濃度極大の左側のやや平らな部分は誘導期（反応が起こらない期間，一種の潜伏期）であり，伝播反応(7・11)のうちの（Ⅰ）がかなり遅い証拠とされている．

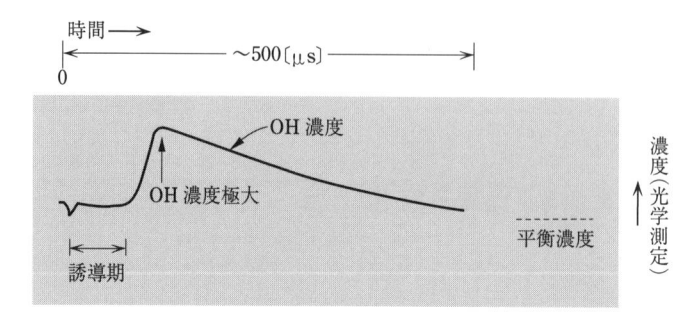

図 7・4 H_2-O_2内衝撃波フロント付近のOH濃度の時間的変化（アルゴン中，1100〜2600 K）

8

溶 液 反 応

8・1 溶液反応の速度論

反応速度の最初の観測（Wilhelmy（ウィルヘルミー）1850）から，その記述・熱力学的整理方法（現象論という）（van't Hoff（ファント・ホッフ）1884, Arrhenius（アレニウス）1889）まではすべて溶液反応を対象にして行われた．しかし，反応速度の分子論的解釈は，気相反応の研究（Bodenstein（ボーデンシュタイン）1895）が開始されるまで待たなければならなかった．気相反応の速度が観測されてみると，溶液反応の速度は気相反応とさほど変わらないことが明らかとなった．たとえば，N_2O_5 の単分子分解反応は，速度定数の頻度因子も活性化エネルギーも，気相中と各種溶媒中ではほとんど同じである．一方，溶液反応の溶媒の違いに基づく差異は特にイオン反応について古くから研究されていた．電解質溶液の物理化学的性質からその差異を理解しようとするそれらの試みは，電解質溶液の研究の進展によってかなり成功した．その代表的なものを遷移状態理論によって述べておく．

溶液反応の化学平衡は，濃度がきわめて希薄であるときを除き，濃度でなく活量（activity）によって表される．成分 A, B, … の活量係数（活動度係数）を $\gamma_A, \gamma_B, \cdots$ と書けば，活量は濃度 $C_A, C_B, \cdots$ のとき $(\gamma_A C_A), (\gamma_B C_B), \cdots$ であるから，平衡 $aA+bB \rightleftharpoons cC+dD$ の平衡定数 K_s は濃度平衡定数 K_c と $(8 \cdot 1)$ の関係にある．

$$K_s = K_c \frac{\gamma_C{}^c \gamma_D{}^d}{\gamma_A{}^a \gamma_B{}^b} \qquad (8 \cdot 1)$$

このことは溶液反応の臨界系 $M^{\pm}$ と反応原系との平衡定数にも成立しなければならないから，臨界系の活量係数を $\gamma^{\pm}$ とすれば

$$K_s^{\pm} = K_c^{\pm}\frac{\gamma^{\pm}}{\gamma_A{}^a\gamma_B{}^b} \qquad (8\cdot 2)$$

である．したがって，溶液反応の速度式はつねに濃度によって表示されているから遷移状態理論表示 (6・25)式は

$$\begin{aligned}k_c &= \frac{k_B T}{h}K_c^{\pm} \\ &= \frac{k_B T}{h}K_s^{\pm}\frac{\gamma_A{}^a\gamma_B{}^b}{\gamma^{\pm}} \qquad (8\cdot 3)\end{aligned}$$

無限希釈（濃度ゼロ）では活量係数は1となり，そのときの速度定数を $k_c{}^0$ とすれば

$$k_c = k_c{}^0\frac{\gamma_A{}^a\gamma_B{}^b}{\gamma^{\pm}} \qquad (8\cdot 4)$$

となる．活量係数が重要になるのは電解質溶液であり，実際にイオン反応の速度定数に影響が現れる．

電解質溶液の平均活量係数は，経験的に**イオン強度**（ionic strength）I（i 番目の成分イオンの濃度，電荷数を C_i, Z_i として）

$$I = \tfrac{1}{2}\sum_{i=1} C_i Z_i{}^2 \qquad (8\cdot 5)$$

によって表され（G. N. Lewis(ルイス), Randall 1923），各成分の活量係数 γ と I の関係には Debye-Hückel(デバイ-ヒュッケル)理論(1924) がある．

Brønsted(ブレンステッド)(1922) は近似式（15〜25℃における希薄水溶液）

$$\log \gamma_i = -0.5 Z_i{}^2\sqrt{I} \qquad (8\cdot 6)$$

を用いて (8・4)式を電荷とイオン強度によってつぎのように表した．電荷数 Z_A と Z_B のイオンの反応では臨界系の電荷数は Z_A+Z_B でなければならないから，

$$\begin{aligned}\log\frac{\gamma_A\gamma_B}{\gamma^{\pm}} &= -0.5\sqrt{I}\{Z_A{}^2 + Z_B{}^2 - (Z_A+Z_B)^2\} \\ &= 1.0\sqrt{I}\,Z_A Z_B \qquad (8\cdot 7)\end{aligned}$$

$a=b=1$ とした (8・4)式から

$$\log k_c = \log k_c{}^0 + 1.0\,Z_A Z_B \sqrt{I} \qquad (8\cdot 8)$$

である.すなわち,同種イオン間では k_c 増加,異種イオン間では減少する.k_c のこの I 依存性を Brønsted は中性塩効果（kinetic salt effect）とよんだ.単に**塩効果**（salt effect）ともよばれているが,イオン反応にあずかる分子種と共通のイオンを含まない中性塩を添加しても,それからのイオンが溶液のイオン強度を変化させ,その結果反応速度が変化することを示している.この効果は共通イオンを含む中性塩添加効果とともに,実験によって認められている.もちろん,(8・8)式は $\sqrt{I} \leq 0.3$ 以下にしか成立しない.溶液反応の速度研究は上に示したような活量係数を手がかりとする熱力学的研究であったが,1950年代半ばから高速イオン反応速度が測定されるようになって,分子論的研究に発展した.

8・2 温度ジャンプ法

Eigen（アイゲン）(1953)は**温度ジャンプ法**（temperature-jump method）を開発した.瞬間的に溶液の温度を上昇させて平衡をずらし,新平衡に近づく時間すなわち緩和時間（relaxation time）を測定し,平衡値とから速度定数を決定する方法（p.36参照）である.もちろん,Eigen の苦心は装置である.図8・1に装置の概略を示す.Sは反応器で,0.1 mol dm^{-3} 溶液を50 cm^3 入れたガラス容器内部に,白金電極が1 cm 間隔でセットしてある.スパークをGで飛ばすと電極間の溶液 1 cm^3 が約 10 ℃ 上昇する.昇温に要する時間は数 10^{-6} s である.L,M,Pはオシログラフ O を用いる溶液濃度測定用の光学系である.オシログラフに記録された濃度増加曲線より緩和時間を決める.

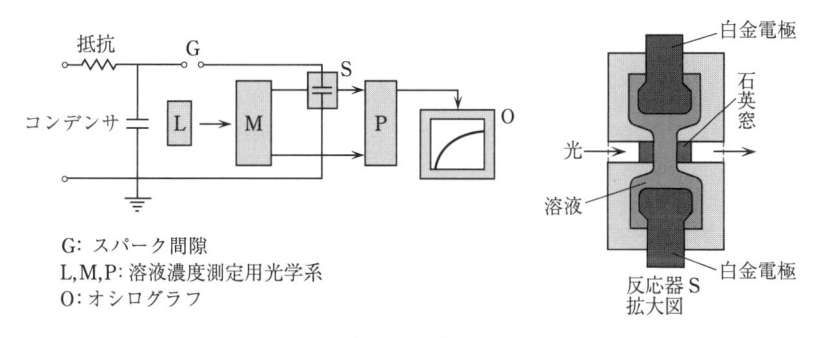

G: スパーク間隙
L,M,P: 溶液濃度測定用光学系
O: オシログラフ

図 8・1 温度ジャンプ法装置の概略図

この方法で，従来は観測できなかった中和反応

$$\text{H}^+(\text{aq}) + \text{OH}^-(\text{aq}) \underset{\overleftarrow{k}}{\overset{\overrightarrow{k}}{\rightleftharpoons}} \text{H}_2\text{O}(\text{l}) \tag{8・9}$$

の速度定数が知れた（298 K へのジャンプで緩和時間 $\tau = 3.7 \times 10^{-5}$ s であった）．平衡定数（298 K で $K_c = 5.49 \times 10^{15}$ mol^{-1} dm^3）から $\overrightarrow{k} = 1.4 \times 10^{11}$ dm^3 mol^{-1} s^{-1} が得られた．表 8・1 は測定例（$\overrightarrow{k}$ は正反応，$\overleftarrow{k}$ は逆反応速度定数）である．

表 8・1 水溶液中における可逆な酸-塩基反応の 298 K における速度定数

反応	$\overrightarrow{k}$/dm^3 mol^{-1} s^{-1}	$\overleftarrow{k}$/s^{-1}
H$^+$(aq) + OH$^-$(aq) $\rightleftharpoons$ H$_2$O(l)	1.4×10^{11}	2.5×10^{-5}
H$^+$(aq) + HCO$_3^-$(aq) $\rightleftharpoons$ H$_2$CO$_3$(aq)	4.7×10^{10}	8×10^6
H$^+$(aq) + CH$_3$COO$^-$(aq) $\rightleftharpoons$ CH$_3$COOH(aq)	4.5×10^{10}	7.8×10^5
H$^+$(aq) + C$_6$H$_5$COO$^-$(aq) $\rightleftharpoons$ C$_6$H$_5$COOH(aq)	3.5×10^{10}	2.2×10^6
H$^+$(aq) + NH$_3$(aq) $\rightleftharpoons$ NH$_4^+$(aq)	4.3×10^{10}	2.5×10^1
H$^+$(aq) + (CH$_3$)$_3$N(aq) $\rightleftharpoons$ (CH$_3$)$_3$NH$^+$(aq)	2.5×10^{10}	4
H$^+$(aq) + HCO$_3^-$(aq) $\rightleftharpoons$ CO$_2$(aq) + H$_2$O(l)	5.6×10^4	4.3×10^{-2}

出典：D. A. McQuarrie, J. D. Simon 著，千原秀昭，江口太郎，齋藤一弥訳，"マッカーリ・サイモン物理化学——分子論的アプローチ（下）"，p. 1204，東京化学同人（2000）による．

8・3 超高速分光法：ポンプ-プローブ法

Eigen が温度ジャンプ法を発表する少し前に Porter（ポーター），Norrish（ノリッシュ）(1949) はせん光光分解法（flash photolysis method）を開発した．瞬間的な光（主せん光）を系に与えて反応状態とし，つぎに第二の瞬間的な光（副せん光）によって反応中間体などのスペクトルを観測する方法である．Eigen とともに "短時間エネルギーパルスでの緩和による高速化学反応の研究" でノーベル化学賞（1967）を受賞したが，Porter, Norrish の方法は**ポンプ-プローブ法**（pump-probe technique）として現在の超高速反応の研究に引継がれている．Porter, Norrish は希ガス封入の放電管を用いたから，せん光の時間幅（これを時間分解能という）がマイクロ秒（10^{-6} s）程度であった．現在は光パルスとしてレーザーが用いられ，時間分解能はピコ秒からフェムト秒（$10^{-12} \sim 10^{-15}$ s）である．分子は光を吸収すると電子励起状態に励起されるが，発光または無放射遷

移によって基底状態に戻る．後者はピコ秒からナノ秒（10^{-12}～10^{-9} s）程度で起こり分子の内外に熱をもたらす．したがって，温度ジャンプ法の時間分解能を大きく向上させることになる．いずれにせよ，第一の光で分子を励起させ（ポンプ），以後の過渡状態を調べる（プローブ）ための第二の光を送る方法である．光の速度は $3×10^8$ m s^{-1} であるから，発光部から試料までの光路に 0.3 mm の差をつければ 1 ピコ秒（10^{-12} s）遅れ，0.3 μm の差とすれば 1 フェムト秒（10^{-15} s）遅れとなる．光路差の調節にはコンピューターを用いる．図 8・2 に典型的装置の概略を示す．

このレーザー分光の方法は，ここでは便宜上溶液反応について紹介しているが，気相反応にも応用され成果をあげている．

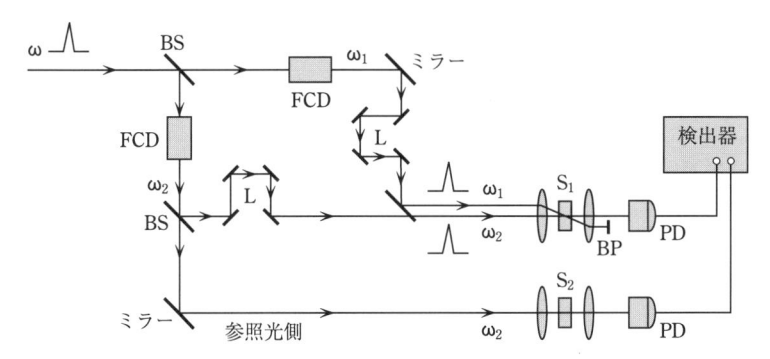

図 8・2 過渡吸収スペクトル測定系．光 ω を BS（ビームスプリッター）で分け，それぞれ FCD（波長変換器）で ω_1（ポンプ）と ω_2（プローブ）とし，光路調節部 L を通し試料セル S_1 に通す．参照光は試料セル S_2 を通す．PD は光量検出器，BP は吸収板である

8・4 溶液反応の連続体理論と遷移状態理論

§8・1 に述べた遷移状態理論は溶液反応における活量係数の必要性を示した．それをイオン強度と結びつけた点はかなり成功したといってよい．しかし，それは (8・4) 式の相対速度 k_c/k_c^0 についてであって，溶液反応自体の理解に踏み込んだものではない．溶液反応速度については，気相の衝突理論を溶液反応に拡張した **Smoluchowski-Debye**（スモルコフスキー-デバイ）**の拡散衝突説**があるのみであった．溶質分子 A，B が衝突（衝突半径 σ[m]）するや瞬間的に反応が起こ

るとすれば,速度定数 k はそれぞれの拡散定数を D_A, D_B $[m^2 s^{-1}]$, アボガドロ定数を N_A として

$$k = 4\pi\sigma(D_A + D_B)1000N_A \quad [dm^3 mol^{-1} s^{-1}] \quad (8\cdot10)$$

で表せるとしたのは Smoluchowski (1917) である.電荷数 Z_A と Z_B のイオン間の反応についてイオン間の電気的相互ポテンシャルを考慮して

$$k = \frac{4\pi\sigma(D_A + D_B)1000N_A}{\sigma\varphi} \quad (8\cdot11)$$

$$\varphi = \frac{\varepsilon k_B T}{\sigma Z_A Z_B e^2}\left\{\exp\left(\frac{Z_A Z_B e^2}{\sigma\varepsilon k_B T}\right) - 1\right\} \quad (8\cdot12)$$

としたのが Debye (1942) である.ε は溶液の比誘電率,e は電荷であり,相互作用がないときには $\varphi=1/\sigma$, A, B ともに正イオン,ともに負イオンであれば $\varphi>1$, 正負イオンであれば $\varphi<1$ となる.Eyring (アイリング) ら (1963) は,水中のイオン移動度から求めた $D_{H^+}=9.28\times10^{-9}$, $D_{OH^-}=5.08\times10^{-9}$ $[m^2 s^{-1}]$ を用い,$T=298$ K の水溶液 ($\varepsilon=78.5$) 中の反応 (8・9) に (8・11), (8・12) 式を適用し $\sigma=7.5\times10^{-10}$ $[m]$ とすれば,Eigen の実測値(温度ジャンプ法)$k=1.4\times10^{11}$ $[dm^3 mol^{-1} s^{-1}]$ が得られることを示した.(8・10) 式から Eigen の実測値に一致する σ を逆算すると 12.9×10^{-10} m である.この値は 298 K 水溶液中の H^+ と OH^- のイオンサイズ 9×10^{-10} m と 3.5×10^{-10} m の和とほとんど一致する.H^+ と OH^- との引力ポテンシャルを考慮する Debye の補正 (8・11), (8・12) 式を用いれば,衝突半径 σ は 7.5×10^{-10} m と算出されるということである.

いずれにせよ,Smoluchowski-Debye 説は溶液内拡散律速説である.(8・10), (8・11), (8・12) 式ともに衝突状態を半径 σ の球とし,その表面上では A, B の濃度ゼロと仮定,溶液内平均濃度 C_A, C_B に拡散速度が比例する (Fick (フィック) の法則) としている.衝突状態の外側まで連続体として取扱っているから,**連続体モデル** (continuum model) と現在はよばれている.

現在はポンプ-プローブ法によって,分子内部の電荷移動やそれに伴う周囲分子との振動や回転のエネルギー移動,溶媒和の状態変動が数フェムト秒 (10^{-15} s) 刻みで実測されるようになった.これに対応して,分子・原子構造変化から新しい速度論モデルが誕生した.実測された多くの反応は連続体モデルでは説明できず,反応に伴う"溶媒和"状態の変化が律速段階であるとする説が強力に

8・4 溶液反応の連続体理論と遷移状態理論

なってきた (Kang ら 1990).

たとえば，1価多核ルテニウムアンミン錯体イオン $[(NC)_5Ru^{III}CNRu^{II}(NH_3)_5]^{-1}$ を 600 nm のピコ秒 (10^{-12} s) パルスで励起 (ポンプ) すると，Ru 間で電子移動が起こって $[(NC)_5Ru^{II}CNRu^{III}(NH_3)_5]^{-1}$ となる．これが元に戻る緩和を赤外線レーザーをプローブとして観測すると，緩和時間は 6±1 ピコ秒である．ルテニウム金属が元の電荷に戻る緩和時間は 0.5 ピコ秒であり，励起エネルギーは $RuC\equiv N$ 結合に集中する．このエネルギーを溶媒分子が除去する段階に時間がかかるのである．したがって，電子移動の律速段階は"溶媒和"である．

このように，溶媒内分子・イオンのポンプ-プローブ法適用は，従来は"きわめて速い"と一括仮定されてきた"衝突状態"内の諸過程をリアルタイムで分解する結果をもたらし始めた．このような結果から，たとえば溶媒和が電子移動反応の律速であるから，従来の連続体理論は適用できないという主張もある．しかし，新しい結果は臨界系の構造を解明するものであり，Smoluchowski-Debye の拡散衝突説を溶液の遷移状態理論に発展させるものであるともいえる．いずれにせよ，新しい結果が反応速度論にいかなる影響をもたらすのかは今後の問題である．

9

表 面 反 応

9・1 表面反応に特徴的な実験的速度式

　固体表面上の反応の速度は，気相・溶液の反応の速度式と異なる独特な形式の速度式によって表される．典型的な反応の実験例について説明する．酸素水素混合ガスは 600 ℃ 以下では安定である（p. 68 参照）．しかし，白金粉末や白金板が存在すると常温でも観測できる速さで反応し，水を生成する[†1]

$$2\,H_2 + O_2 \longrightarrow 2\,H_2O$$

　反応速度を白金線（直径 5 μm，長さ 5 m）存在下，温度 100 ℃ 付近で観測した結果（戸井田 誠 1976）と速度式決定手続きを示す．一定温度において，酸素分圧 P_{O_2} を一定として水素分圧 P_{H_2} を変えて測定した初速度 r_0 を図 9・1 に，P_{H_2} を一定とし P_{O_2} を変えて測定した r_0 を図 9・2 に示す．活性化エネルギーを求めるのに最低二つの温度での観測が必要であるが，図 9・2 のように極大を生じる場合にはより多くの温度での観測が望まれる．さて，図 9・1 の曲線は両対数目盛りのプロットをすれば直線となるらしいと予測できる（実際にここではこう配 $\frac{1}{2}$ の直線である）．それを確認したのが図 9・3 であり，一定 P_{O_2} では

$$r_0 = k_1 P_{H_2}^{\frac{1}{2}}$$

である．

---

　† 歴史書によると Döbereiner（デーベライナー）(1833) から，Kirchhoff（キルヒホッフ），Davy（デイビー），Faraday（ファラデー），Berzelius（ベルセリウス）ら著名学者が熱心に研究しており，最も古くから研究された金属表面反応である．

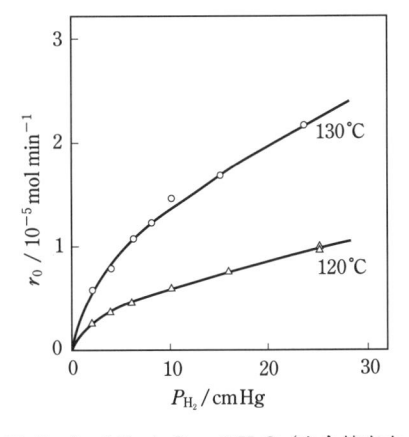

9・1 表面反応に特徴的な実験的速度式

図 9・1 $2H_2 + O_2 \to 2H_2O$（白金線存在下）の $P_{O_2}=5.0\,\text{cmHg}$ 一定における初速度 r_0 と水素分圧 P_{H_2} の関係

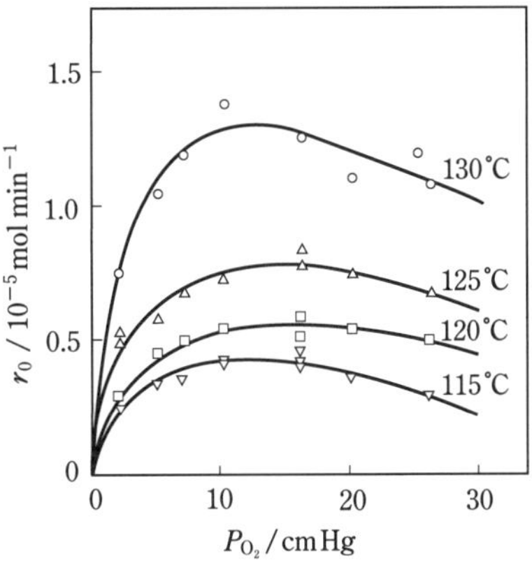

図 9・2 $P_{H_2}=60\,\text{cmHg}$ 一定における r_0 と酸素分圧 P_{O_2} との関係

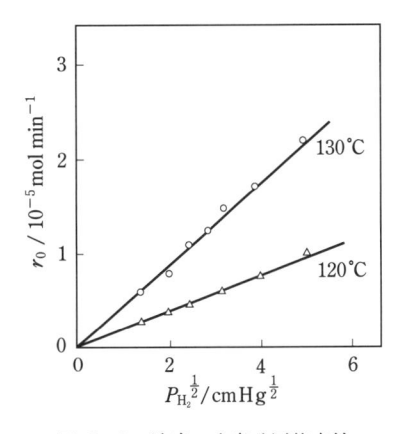

図 9・3 速度の水素分圧依存性

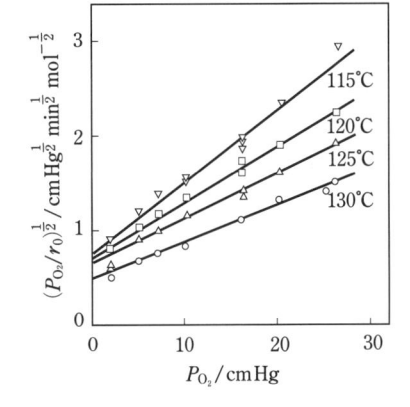

図 9・4 速度の酸素分圧依存性

一定 P_{H_2} における r_0 の P_{O_2} 依存性を求めるのは簡単ではないが，$(P_{O_2}/r_0)^{\frac{1}{2}}$ を P_{O_2} に対してプロットしてみると，図9・4に示したように各温度で見事な直線となる．実は，このように極大を示す場合は，一般に定数を k_2, K_{O_2} として

$$r_0 = \frac{k_2 K_{O_2} P_{O_2}}{(1+K_{O_2}P_{O_2})^2}$$

の形となることが知られている．したがって，

$$\left(\frac{P_{O_2}}{r_0}\right)^{\frac{1}{2}} = \left(\frac{1}{k_2 K_{O_2}}\right)^{\frac{1}{2}} + \left(\frac{K_{O_2}}{k_2}\right)^{\frac{1}{2}} P_{O_2}$$

となるからである．図9・4の直線の切片 $(1/k_2 K_{O_2})^{\frac{1}{2}}$ とこう配 $(K_{O_2}/k_2)^{\frac{1}{2}}$ を組合わせると k_2, K_{O_2} 値が決まる．

$$\left(\frac{1}{k_2 K_{O_2}}\right)^{\frac{1}{2}} \left(\frac{K_{O_2}}{k_2}\right)^{\frac{1}{2}} = \frac{1}{k_2}$$

$$\left(\frac{K_{O_2}}{k_2}\right)^{\frac{1}{2}} \bigg/ \left(\frac{1}{k_2 K_{O_2}}\right)^{\frac{1}{2}} = K_{O_2}$$

さらに r_0 は P_{O_2} 一定において $P_{H_2}^{\frac{1}{2}}$ に比例しているから k_2 を改めて $kP_{H_2}^{\frac{1}{2}}$ として，図9・1と図9・2の結果をまとめて表せば

$$r_0 = \frac{kP_{H_2}^{\frac{1}{2}} K_{O_2} P_{O_2}}{(1+K_{O_2} P_{O_2})^2} \tag{9・1}$$

となる．各温度で得た k と K_O のアレニウスプロット（§3・3参照）によって

$$k = 6.5\times 10^5\, e^{-97.5\,\text{kJ}/RT} \quad [\text{mol cm}^{-2}\,\text{s}^{-1}\,\text{cmHg}^{-\frac{1}{2}}] \tag{9・2}$$

$$K_{O_2} = 1.5\times 10^{-5}\, e^{28.5\,\text{kJ}/RT} \quad [\text{cmHg}^{-1}] \tag{9・3}$$

である．ここで K_{O_2} は活性化エネルギーが負，圧力$^{-1}$の単位で時間を含まない定数である．(9・1)式の速度 r_0 は，白金線表面積にも比例するから白金線の直径と長さから計算した表面積当たりの値で表しており，したがって k の単位に cm^{-2} が含まれている．

さて，(9・1)式は，$K_{O_2} P_{O_2} \ll 1$ のときは速度式

$$r_0 \simeq (kK_{O_2}) P_{H_2}^{\frac{1}{2}} P_{O_2} \tag{9・4}$$

であり，見かけの速度定数 (kK_{O_2}) の活性化エネルギーはアレニウスプロットすると $E = \{97.5+(-28.5)\}\,\text{kJ mol}^{-1} = 69\,\text{kJ mol}^{-1}$ と観測されることになる．$K_{O_2} P_{O_2} \gg 1$ のときは速度式

$$r_0 \simeq \frac{k}{K_{O_2}} \frac{P_{H_2}^{\frac{1}{2}}}{P_{O_2}} \tag{9・5}$$

であり，見かけの速度定数は (k/K_{O_2})，活性化エネルギーは $E=\{97.5-(-28.5)\}\,\text{kJ mol}^{-1}=126\,\text{kJ mol}^{-1}$ となる．このように極大値を有する速度式をもつこと，さらに温度や圧力の範囲によって速度式や活性化エネルギーが変化することは，気相や溶液の反応と著しく異なる表面反応の速度論的特徴である．

9・2　Langmuir 吸着式と吸着速度論

　表面反応の特徴的な速度挙動は，化学吸着状態を経由して反応が進行するためである．このことを最初に明らかにしたのは Langmuir (ラングミュア) (1916) である．ガスが木炭などに吸着することは古くから知られており，白金表面の存在で反応が起こるのは，表面上に反応ガスが凝縮状態として吸着しその中で分子衝突が激しく起こるからであるとの説明がなされていた．しかし，§9・1 に述べた実験例のような温度，圧力の条件では H_2 や O_2 が表面凝縮を起こすとは信じられない．Langmuir は吸着を金属表面の格子点と気相分子との化学結合と考え，全格子点が分子・原子に占められるとそれ以上吸着が起こらないとする**単分子吸着**(monomolecular adsorption)**説**を提出し，表面反応は化学的に吸着した分子・原子間の反応であるとした．この説は現在でも妥当であるとされている．

　Langmuir 吸着式　気相 H_2 分子は金属表面の格子点（＊と記す）2 個と反応し，化学吸着 $H(a)$ 2 個を生成する．これを H_2 の**解離吸着** (dissociative adsorption) という．

$$H_2 + 2* \underset{\overleftarrow{v}}{\overset{\overrightarrow{v}}{\rightleftharpoons}} 2H(a) \qquad (9 \cdot 6)$$

平衡にあるとき，吸着速度 $\overrightarrow{v}$ と逆反応（脱離）速度 $\overleftarrow{v}$ は等しい．単位表面積当たりの格子点数を N_s，$H(a)$ 数を $N_{H(a)}$ とすれば吸着速度は 2 個の空の格子点 ＊ へ衝突する H_2 分子数に比例するから

$$\overrightarrow{v} = \overrightarrow{k} P_{H_2}(N_s - N_{H(a)})^2 \qquad (9 \cdot 7)$$

脱離速度は 2 個の $H(a)$ の再結合であるから

$$\overleftarrow{v} = \overleftarrow{k} N_{H(a)}^2 \qquad (9 \cdot 8)$$

(9・7)式と (9・8)式を等置し $N_{H(a)}/N_s = \theta_H$ を**吸着率** (degree of coverage)，温度のみの関数 $(\overrightarrow{k}/\overleftarrow{k}) = K_{H_2}$ を**吸着定数**として

$$\left(\frac{\theta_H}{1-\theta_H}\right)^2 = K_{H_2} P_{H_2} \qquad (9 \cdot 9)$$

$$\theta_H = \frac{(K_{H_2} P_{H_2})^{\frac{1}{2}}}{1 + (K_{H_2} P_{H_2})^{\frac{1}{2}}} \qquad (9 \cdot 10)$$

を得る．(9・9)，(9・10)式を **Langmuir 吸着式** (Langmuir adsorption equation) という．酸素水素混合ガスの Langmuir 吸着式は，気相 O_2 分子が表面格

子点に化学吸着して $O_2(a)$ となるとしその吸着率を θ_{O_2} とすれば,空いている格子点数,$N_s(1-\theta_H-\theta_{O_2})$ を吸着脱離速度式に用いてつぎのように得られる.

$$\frac{\theta_{O_2}}{1-\theta_H-\theta_{O_2}} = K_{O_2}P_{O_2} \qquad (9\cdot 11)$$

$$\frac{\theta_H}{1-\theta_H-\theta_{O_2}} = (K_{H_2}P_{H_2})^{\frac{1}{2}} \qquad (9\cdot 12)$$

$$\theta_H = \frac{(K_{H_2}P_{H_2})^{\frac{1}{2}}}{1+(K_{H_2}P_{H_2})^{\frac{1}{2}}+K_{O_2}P_{O_2}} \qquad (9\cdot 13)$$

$$\theta_{O_2} = \frac{K_{O_2}P_{O_2}}{1+(K_{H_2}P_{H_2})^{\frac{1}{2}}+K_{O_2}P_{O_2}} \qquad (9\cdot 14)$$

吸着速度論 白金表面上の反応

$$H(a) + O_2(a) \xrightarrow{r_s} \qquad (9\cdot 15)$$

の速度 r_s は単位表面積当たり

$$r_s = k_s N_s \theta_H \theta_{O_2}$$

$$= k_s N_s \frac{(K_{H_2}P_{H_2})^{\frac{1}{2}}K_{O_2}P_{O_2}}{\{1+(K_{H_2}P_{H_2})^{\frac{1}{2}}+K_{O_2}P_{O_2}\}^2} \qquad (9\cdot 16)$$

となる.k_s は速度定数である.$(K_{H_2}P_{H_2})^{\frac{1}{2}} \ll 1$ のときに (9・16)式は (9・1)式となり,(9・2)式の k が $k_sN_s(K_{H_2})^{\frac{1}{2}}$,(9・3)式の K_{O_2} は吸着定数 K_{O_2} に相当する.このように表面反応の独特な速度挙動を吸着式を用いて説明する理論を**吸着速度論**(adsorption kinetics)とよぶ.この吸着速度論分野における重要な2課題を述べておく.

Langmuir-Hinshelwood 機構と Eley-Rideal 機構 (9・15)式は化学吸着種間の衝突であるが,気相分子と化学吸着種間の衝突を主張する場合がある.たとえば,気相分子 A, B の反応で A が強く吸着してほとんどの表面格子点を覆っている場合など,B は吸着して反応するよりも直接吸着種 A に衝突して反応する,と考える方が合理的に思われる.その場合には

$$r_s = k_s P_B \theta_A$$

$$= k_s P_B \frac{K_A P_A}{1+K_A P_A} \qquad (9\cdot 17)$$

となる.この考え方を **Eley-Rideal**(イーレー–リディール)**機構**とよび,吸着種

間衝突を **Langmuir-Hinshelwood**(ラングミュア-ヒンシェルウッド)**機構**とよんで区別する．これは素反応の詳細にわたる議論であり，吸着速度式の形から決着をつけることは難しい．たとえば，A，B両者が吸着して反応するならば速度式は (9・16)式の形，一方の吸着が弱ければ (9・1)式の形となるが，反応条件が中間圧力である場合には (9・17)式と区別しにくい．さらに，両者は異なる格子点に吸着するがBは弱吸着すなわち $K_B P_B \ll 1$ であるとすれば (9・17)式となる．吸着式を実験的に調べれば決着できるように思われるが，つぎに例を示すように単一ガスの実測吸着式自体必ずしも Langmuir 吸着式に合致しない場合が少なくないから，吸着速度論では決着がつけられないのである．分光学的研究が行われているが，現在までのところ決着がついていない．

アンモニア合成反応の Temkin 理論 化学吸着の実験的速度式に Zeldovic-Roginsky(ゼルドビッチ-ロジンスキー)式がある．圧力 P のとき吸着量 x の増加速度，減少速度の実験式は

$$\left.\begin{aligned}\frac{dx}{dt} &= \vec{v} = \vec{k'} P e^{-ax} \\ -\frac{dx}{dt} &= \overleftarrow{v} = \overleftarrow{k'} e^{bx}\end{aligned}\right\} \quad (9\cdot18)$$

である（x が $\ln t$ に比例する）．両式を等置すると2定数（$(a+b)$ と $\vec{k'}/\overleftarrow{k'}$）の平衡吸着式 (9・19) となる．

$$x = \frac{1}{a+b} \ln\left\{\left(\frac{\vec{k'}}{\overleftarrow{k'}}\right) P\right\} \quad (9\cdot19)$$

(9・19)式は **Frumkin-Temkin**(フルムキン-チョムキン)**吸着式**とよばれ，かなり多くの化学吸着に適用できる経験式として知られている．経験式 (9・18) と (9・19) を用いて，Temkin, Pyzehev (1940) はアンモニア合成反応の律速素反応が気相 N_2 分子の鉄触媒表面への解離吸着段階であることを示した．これは吸着速度論の典型的な理論であり，結論は現在でも支持されている．アンモニア合成反応(2・1) の律速段階を

$$N_2 \longrightarrow 2N(a) \quad (9\cdot20)$$

とすれば，反応経路(4・17)においてステップ2以外はすべて平衡にあり，ステップ2の化学量数 ν_R は1であるから (4・22)式より

$$r = \vec{v}(1 - e^{-\mathscr{A}/RT}) \quad (9\cdot21)$$

$\mathscr{A}$ はアンモニア合成反応(2・1)の化学親和力であり (2・25)式

$$\mathscr{A} = -RT\ln\left(\frac{1}{K_P}\frac{P_{NH_3}^2}{P_{N_2}P_{H_2}}\right) \qquad (2\cdot 25)$$

によって与えられる．ただし NH_3, N_2, H_2 の圧力を P_{NH_3}, P_{N_2}, P_{H_2} とした．(9・21)式に (2・26)式，(9・18)式を用いると

$$r = \vec{k}'P_{N_2}e^{-ax}\left\{1 - \frac{\overleftarrow{k}'}{\vec{k}'P_{N_2}}e^{(a+b)x}\right\} \qquad (9\cdot 22)$$

となる．括弧内第2項は $e^{-\mathscr{A}/RT}$ であるから (2・25)式を用いて

$$x = \frac{1}{a+b}\ln\left\{\left(\frac{\vec{k}'}{\overleftarrow{k}'}\right)\frac{P_{NH_3}^2}{K_P P_{H_2}^3}\right\} \qquad (9\cdot 23)$$

となる．すなわち反応中の窒素吸着量 x はアンモニア分圧 P_{NH_3} と水素分圧 P_{H_2} の関数である．(9・23)式を用いれば

$$r = \vec{k}'P_{N_2}\left\{\left(\frac{\vec{k}'}{\overleftarrow{k}'}\right)\frac{P_{NH_3}^2}{K_P P_{H_2}^3}\right\}^{-\frac{a}{a+b}} - \overleftarrow{k}'\left\{\left(\frac{\vec{k}'}{\overleftarrow{k}'}\right)\frac{P_{NH_3}^2}{K_P P_{H_2}^3}\right\}^{\frac{b}{a+b}} \qquad (9\cdot 24)$$

である．Temkin 理論は Winter (1931) のアンモニア分解速度の実測結果 (400°C, 活性化エネルギー 235 kJ mol^{-1})

$$\overleftarrow{v} = \overleftarrow{k}'P_{NH_3}P_{H_2}^{-\frac{3}{2}} \qquad (9\cdot 25)$$

について，$a=b$ とした (9・24)式の第2項（脱離速度式）によって説明できるとした．その後，各種金属薄膜，細線，粉末 (Fe, Re, Ru, Os, Rh, Pt) について広い温度範囲 (550～1000 K), 圧力範囲 (10～300 mmHg) でほぼ (9・25)式が成立することが確かめられた．現在は超高真空技術と分光学技術の進歩によって金属表面上の化学種の研究が進んでいるが，アンモニア合成反応の律速素反応が (9・20)式である結論は変わっていない．

9・3 吸着平衡の統計力学表示

Langmuir 吸着式と Frumkin-Temkin 吸着式との関係については統計力学的検討を要する．この目的と次節の表面素反応理論の準備のため吸着平衡の統計力学表示をまとめておく．

理想気体の化学平衡の統計力学表示は，§6・3 にまとめておいた．表面吸着状態はやや特殊であるから基本的部分から述べる．統計力学では系全体のとりうる

9・3 吸着平衡の統計力学表示

状態数 Z を**分配関数**（complete partition function）とよび，系の**ヘルムホルツエネルギー**（Helmholtz energy）$\mathcal{F}$ と

$$Z = e^{-\mathcal{F}/k_B T} \qquad (9 \cdot 26)$$

の関係にあるとする．単位表面積当たり格子点数 N_s 上に $N_{N(a)}$ 個の化学吸着 N(a) が存在し，理想気体 N_2（圧力 P_{N_2}）と平衡にある系を考える．N(a) 間に相互作用なしと仮定すると，N(a) 1個のとりうるエネルギー状態数は分子分配関数（§6・3参照）$q_{N(a)}$ となり，$N_{N(a)}$ 個で $(q_{N(a)})^{N_{N(a)}}$ となる．エネルギー状態が同一でも表面上の吸着原子配置が異なれば状態は異なるから，その勘定をしなければならない．全格子点の入れ替えの数は $N_s!$，そのうち N(a) が吸着している格子点どうしの入れ替えの数 $N_{N(a)}!$ と空いている格子点どうしの入れ替えの数 $(N_s-N_{N(a)})!$ は重複しているから，結局全状態数 Z は

$$Z = \frac{N_s!}{N_{N(a)}!(N_s-N_{N(a)})!}(q_{N(a)})^{N_{N(a)}} \qquad (9 \cdot 27)$$

となる．N(a) 1個当たりの化学ポテンシャル $\mu_{N(a)}$ は熱力学関係式

$$\mu_{N(a)} = \left(\frac{\partial \mathcal{F}}{\partial N_{N(a)}}\right)_{T,N_s} = k_B T \ln\left\{\frac{N_{N(a)}}{N_s-N_{N(a)}}\frac{1}{q_{N(a)}}\right\} \qquad (9 \cdot 28)$$

で表され，理想気体 N_2 については $Z=(q_{N_2})^{N_{N_2}}/N_{N_2}!$ を用い

$$\mu_{N_2} = k_B T \ln\left(\frac{N_{N_2}}{q_{N_2}}\right) = k_B T \ln\left(\frac{P_{N_2}}{q_{N_2}k_B T}\right) \qquad (9 \cdot 29)$$

となる．ここで統計力学表示の**絶対活量**（absolute activity）

$$\lambda = e^{\mu/k_B T} \qquad (9 \cdot 30)$$

を用いることにし，$N_{N(a)}/N_s=\theta_N$, $(N_s-N_{N(a)})/N_s=\theta_0$ とすれば

$$\theta_N = \theta_0\, q_{N(a)}\, \lambda_{N(a)} \qquad (9 \cdot 31)$$

平衡条件は $2\mu_{N(a)}=\mu_{N_2}$, すなわち $\lambda_{N(a)}{}^2=\lambda_{N_2}$ であるから

$$\left(\frac{\theta_N}{\theta_0}\right)^2 = \frac{q_{N(a)}{}^2}{q_{N_2}k_B T}P_{N_2} \qquad (9 \cdot 32)$$

となる．これが H(a) 吸着に示した Langmuir 吸着式（9・9），（9・10）に相当する．吸着定数 K は分子分配関数によって与えられる．q_{N_2} の内容は（6・13）～（6・16）式に示したようなものであり，$q_{N(a)}$ は振動運動部分のみの分子分配関数である．

吸着 N(a) の隣接格子点に N(a) があれば 0.3 nm 程度の近距離であるから両者の間に 10〜20 kJ mol^{-1} 程度の反発ポテンシャルがはたらいていても不思議ではない．このような場合の統計力学理論はかなり精密に整えられているが[†1]，化学吸着では最も粗い近似（まわりの N(a) からの反発ポテンシャルは θ_N に比例するとする Bragg-Williams（ブラッグ-ウィリアムス）近似）による $q_{N(a)} \to q_{N(a)} \exp(-u\theta_N/k_B T)$ 修正を用いる以上の議論は行われていない．この補正をすると（9・32）式は

$$\left(\frac{\theta_N}{\theta_0}\right)^2 = \frac{q_{N(a)}{}^2}{q_{N_2} k_B T} \exp\left(-\frac{2u\theta_N}{k_B T}\right) P_{N_2} \qquad (9・33)$$

となり，$2u\theta_N/k_B T \gg 1$ のとき，θ_N が 0 または 1 に近くなければ（中間程度の θ_N のとき）近似式，すなわち Frumkin-Temkin 吸着式（9・19）の形となる．

$$\theta_N = \frac{k_B T}{2u} \ln\left\{\frac{q_{N(a)}{}^2}{q_{N_2} k_B T} P_{N_2}\right\} \qquad (9・34)$$

Langmuir 吸着が吸着種間に相互作用のない理想吸着であり，相互作用がある場合 Frumkin-Temkin 吸着式なども現れると理解できる[†2]．

9・4　表面素反応と反応経路：堀内理論

堀内寿郎 (1936, 1939) は素反応と反応経路を含めた表面反応の統計力学的統一理論を提出した．その反応経路の理論は §4・3, §4・4 に述べた．ここでは堀内の表面素反応の理論を主として紹介するとともに，最近得られた超高真空実験の結果に適用した結果を示そう．

表面素反応に対しては Eyring（アイリング）の遷移状態理論は適用が困難である．気相素反応の取扱いに便利なように組立てられているからである．堀内理論では，化学反応の統計力学に立ち戻り，素反応 j の速度を，臨界系 $M_j{}^\ddagger$ の濃度を $[M_j{}^\ddagger]$ として（透過係数を 1 とする）

$$\vec{v}_j = \frac{k_B T}{h}[M_j{}^\ddagger] \qquad (9・35)$$

[†1] 化学吸着は，2元合金，強磁性体の秩序-無秩序相転移の問題の2次元モデルとなる．このため理論的取扱いが進んでいる（物理学教科書をみよ）．

[†2] 表面格子点が均一でなく，活性の高いものから低いものまでが特定の分布をしているとする（**表面不均一性**(surface heterogeneity)**説**）モデルからも Frumkin-Temkin 吸着式その他の経験式を導くことができる．

9・4 表面素反応と反応経路：堀内理論

と表す（活性錯合体でなく臨界系(p. 53 参照)であることに注意）．j が表面素反応であれば $M_j^{\ddagger}$ は表面上の特定場所に存在している不安定吸着種である．特定場所の数（単位表面積当たり）を $G_j^{\ddagger}$，空いている確率を $\theta_{0,j}^{\ddagger}$，$M_j^{\ddagger}$ の吸着率を $\theta_j^{\ddagger}$，分子分配関数を $q_j^{\ddagger}$，絶対活量を $\lambda_j^{\ddagger}$ とすれば (9・31) 式より

$$[M_j^{\ddagger}] = G_j^{\ddagger}\theta_j^{\ddagger} = G_j^{\ddagger}\theta_{0,j}^{\ddagger}q_j^{\ddagger}\lambda_j^{\ddagger} \qquad (9・36)$$

したがって (9・35) 式は

$$\vec{v}_j = \frac{k_B T}{h} G_j^{\ddagger}\theta_{0,j}^{\ddagger}q_j^{\ddagger}\lambda_j^{\ddagger} \qquad (9・37)$$

臨界系は素反応原系と平衡にあるから，$\lambda_j^{\ddagger}$ は原系 I の絶対活量 λ_j^{I} と等しく

$$\vec{v}_j = \frac{k_B T}{h} G_j^{\ddagger}\theta_{0,j}^{\ddagger}q_j^{\ddagger}\lambda_j^{I} \qquad (9・38)$$

逆素反応速度は，臨界系と終系 F が平衡にあるとするから

$$\overleftarrow{v}_j = \frac{k_B T}{h} G_j^{\ddagger}\theta_{0,j}^{\ddagger}q_j^{\ddagger}\lambda_j^{F} \qquad (9・39)$$

である．吸着種は気相分子数に比べて微量であるから，吸着種には定常状態近似が適用できる．したがって表面反応は j を構成素反応とする定常反応経路によって進行し，速度 r は次式によって与えられる (§ 4・3, 4・4 参照)．

$$r = \frac{1}{\nu_j}(\vec{v}_j - \overleftarrow{v}_j) \qquad (4・20)$$

$$= \frac{\vec{v}_j}{\nu_j}\left(1 - \frac{\lambda_j^{F}}{\lambda_j^{I}}\right) \qquad (9・40)$$

ν_j, $\mathcal{A}_j$ を素反応 j の化学量数，化学親和力，$\mathcal{A}$, λ^{I}, λ^{F} を表面反応の化学親和力，原系，終系の絶対活量とすると

$$\left.\begin{array}{l}\dfrac{\lambda_j^{F}}{\lambda_j^{I}} = \exp\left(-\dfrac{\mathcal{A}_j}{RT}\right) \\[2mm] \prod\limits_j \left(\dfrac{\lambda_j^{F}}{\lambda_j^{I}}\right)^{\nu_j} = \exp\left(-\dfrac{\sum_j \nu_j \mathcal{A}_j}{RT}\right) = \exp\left(-\dfrac{\mathcal{A}}{RT}\right) = \dfrac{\lambda^{F}}{\lambda^{I}}\end{array}\right\} \qquad (9・41)$$

律速段階が素反応 $\mathcal{R}$ である場合には，

$$\left.\begin{array}{ll}\mathcal{A}_j = 0 & \lambda_j^{I} = \lambda_j^{F} \quad (j \neq \mathcal{R}) \\ \mathcal{A} = \nu_{\mathcal{R}}\mathcal{A}_{\mathcal{R}} & (\lambda_{\mathcal{R}}^{F}/\lambda_{\mathcal{R}}^{I})^{\nu_{\mathcal{R}}} = \lambda^{F}/\lambda^{I}\end{array}\right\} \qquad (9・42)$$

である．平衡付近の r の測定から ν_R を求める方法は§4・4に述べた．ここでは (9・40)式，(9・41)式から律速段階を決定する方法を説明する．

　説明を容易にするため具体例としてつぎの反応経路(9・43)について述べる．

$$\left.\begin{array}{l} N_2 \stackrel{1}{\rightleftharpoons} 2\,N(a) \qquad\qquad H_2 \stackrel{2}{\rightleftharpoons} 2\,H(a) \\ N(a)+H(a) \stackrel{3}{\rightleftharpoons} NH(a) \quad NH(a)+2\,H(a) \stackrel{\text{平衡}}{\rightleftharpoons} NH_3 \\ \qquad\qquad (\nu_1=1,\quad \nu_2=3,\quad \nu_3=2) \end{array}\right\} \quad (9\cdot43)$$

この反応経路はアンモニア合成反応(2・5)の反応経路(4・17)を簡易化したものであるが，素反応 1, 2, 3 のどれが律速であるか？ という実際問題を論じるのに十分な対象である．

　反応経路(9・43)の各素反応の絶対活量間につぎの関係がある．

$$\left.\begin{array}{l} \lambda_1^I = \lambda_{N_2} > \lambda_1^F = \lambda_{N(a)}^2 \qquad \lambda_2^I = \lambda_{H_2} > \lambda_2^F = \lambda_{H(a)}^2 \\ \lambda_3^I = \lambda_{N(a)}\lambda_{H(a)} > \lambda_3^F = \lambda_{NH(a)} \qquad \lambda_{NH(a)}\lambda_{H(a)}^2 = \lambda_{NH_3} \end{array}\right\} \quad (9\cdot44)$$

便宜上つぎの記号を導入する

$$\left.\begin{array}{ll} \dfrac{\lambda^F}{\lambda^I} = \dfrac{\lambda_{NH_3}^2}{\lambda_{N_2}\lambda_{H_2}^3} = \gamma & \dfrac{\lambda_{N(a)}}{\lambda_{N_2}^{\frac{1}{2}}} = \gamma(N) \\[2mm] \dfrac{\lambda_{H(a)}}{\lambda_{H_2}^{\frac{1}{2}}} = \gamma(H) & \dfrac{\lambda_{NH(a)}}{\lambda_{N_2}^{\frac{1}{2}}\lambda_{H_2}^{\frac{1}{2}}} = \dfrac{\gamma^{\frac{1}{2}}}{\gamma(H)^2} \end{array}\right\} \quad (9\cdot45)$$

これによって(9・40)式は反応経路(9・43)に対して

$$\left.\begin{array}{l} r = \dfrac{\vec{v}_1}{1}\{1-\gamma(N)^2\} = \dfrac{\vec{v}_2}{3}\{1-\gamma(H)^2\} \\[2mm] = \dfrac{\vec{v}_{3,e}}{2}\{\gamma(N)\,\gamma(H) - \gamma^{\frac{1}{2}}\gamma(H)^{-2}\} \\[2mm] \vec{v}_{3,e} = \dfrac{k_B T}{h} G_3^{\neq} \theta_{0,3}^{\neq} q_3^F \lambda_{N_2}^{\frac{1}{2}}\lambda_{H_2}^{\frac{1}{2}} \end{array}\right\} \quad (9\cdot46)$$

となる．したがって，$\vec{v}_1$，$\vec{v}_2/3$，$\vec{v}_{3,e}/2$ の最小値が律速段階の正速度となる．さて，3素反応の臨界系はすべて隣接格子点対上に吸着しているから，格子点の数(単位表面積当たり)，配位数，空いている確率をそれぞれ N_s, z, θ_0 とすれば

$$\left.\begin{array}{l} G_1^{\neq} = G_2^{\neq} = G_3^{\neq} = \dfrac{1}{2}zN_s \sim 10^{19}\,\mathrm{m}^{-2} \\ \theta_{0,1}^{\neq} = \theta_{0,2}^{\neq} = \theta_{0,3}^{\neq} = \theta_0^2 \end{array}\right\} \quad (9\cdot47)$$

9・4 表面素反応と反応経路：堀内理論

である．臨界系は安定吸着種 N(a) などに比べ不安定であるから，それらの吸着率は N(a) などの吸着率 θ_N などに対し無視できる．したがって

$$\theta_0 = 1 - \theta_N - \theta_H - \theta_{NH} \tag{9・48}$$

各吸着種に (9・31)式を適用し，(9・44)，(9・45)式の関係を用いれば

$$\theta_0 = \{1 + q_{N(a)}\lambda_{N_2}^{\frac{1}{2}}\gamma(N) + q_{H(a)}\lambda_{H_2}^{\frac{1}{2}}\gamma(H) + q_{NH(a)}\lambda_{N_2}^{\frac{1}{2}}\lambda_{H_2}^{\frac{1}{2}}\gamma^{\frac{1}{2}}\gamma(H)^{-2}\}^{-1} \tag{9・49}$$

である．

臨界系の分子分配関数 q_1^+, q_2^+, q_3^+ が知られていれば以上の諸式によって反応条件（温度，気相分圧すなわち λ_{N_2}, λ_{H_2}, λ_{NH_3} が与えられた）について $\vec{v}_1$ などの相対値が算出でき，したがって $\gamma(N)$, $\gamma(H)$ を推定しうる．$\gamma(N)$, $\gamma(H)$ がわかれば (9・49)式から θ_0 が算出でき，$\vec{v}_1$, $\vec{v}_2$, $\vec{v}_3$ の絶対値を推定することができる．

Ertl(1982, 1983) は，超高真空下の清浄 Fe 表面（面構造 (111)，$z=6$，$\theta_0 \simeq 1$）上のアンモニア合成素反応の速度測定などから図 9・5(a) に示したエネルギー関係を得た．この図によれば原系（図では $\frac{1}{2}N_2 + \frac{3}{2}H_2$）より高いエネルギーを示す臨界系は存在しない．従来から律速的であると信じられてきた素反応 1（$N_2 \to 2N(a)$）の臨界系については多くの研究者が追試したが，図 9・5(b)に示したように原系(N_2)よりエネルギーが低いことは確実である．反応中の実測活性化

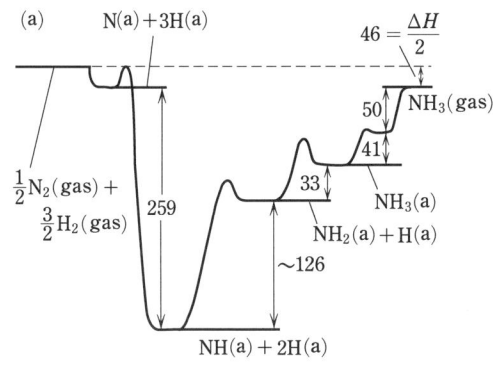

図 9・5 アンモニア合成のポテンシャル曲面．数値の単位は kJ mol^{-1}

(a) Ertl(1982, 1991) の $\theta_0 \simeq 1$ でのポテンシャルエネルギー図の一部

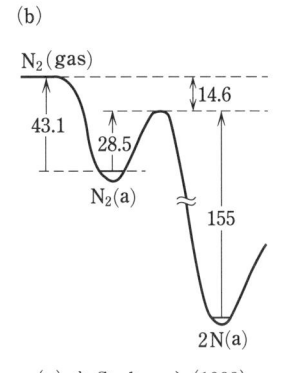

(b) (a) を Stoltze ら(1988) が再検討したもの

エネルギーが $40\sim80$ kJ mol^{-1} であることとの関係が議論されているが,それはここに述べてきた堀内理論からつぎのように容易に理解しうることである.反応中の正素反応速度の活性化エネルギーは,原系のエネルギーを E_j^{I} として

$$E_j = RT^2\frac{\mathrm{d}\ln \vec{v}_j}{\mathrm{d}T} = (E_j^{\ddagger}-E_j^{\mathrm{I}}) + 2RT^2\frac{\mathrm{d}\ln \theta_0}{\mathrm{d}T} \tag{9・50}$$

であり,$\theta_0=1$ においては $(E_j^{\ddagger}-E_j^{\mathrm{I}})$ である.しかし反応中は $\theta_0<1$ であり第2項にN(a)などの吸着エネルギー(正)の寄与が現れる.図9・5(a)ならびに他研究者のデータを勘案するとkJ mol^{-1}単位で,N_2 の化学吸着エネルギー=$\{-(2E_{\mathrm{N(a)}}-E_{\mathrm{N}_2})\}=160\sim215$,$H_2$ の化学吸着エネルギー=$\{-(2E_{\mathrm{H(a)}}-E_{\mathrm{H}_2})\}=92\sim94$,$\frac{1}{2}N_2+\frac{1}{2}H_2$ からNH(a)への化学吸着エネルギー=$\{-(E_{\mathrm{NH(a)}}-\frac{1}{2}E_{\mathrm{N}_2}-\frac{1}{2}E_{\mathrm{H}_2})\}=68\sim109$ である.すなわち,N_2 の化学吸着エネルギーが最も大きいから表面上の主吸着種は N(a) であり,(9・49)式は

$$\theta_0 = 1 - \theta_{\mathrm{N}} = \{1 + q_{\mathrm{N(a)}} \lambda_{\mathrm{N}_2}^{\frac{1}{2}} \gamma(\mathrm{N})\}^{-1} \tag{9・51}$$

となる.ここで,$\gamma^{\frac{1}{2}} \leq \gamma(\mathrm{N}) \leq 1$ である.$\gamma(\mathrm{N})=1$ のときの(9・51)式を(9・50)式に用いれば第2項は

$$2RT^2\frac{\mathrm{d}\ln \theta_0}{\mathrm{d}T} \simeq -(2E_{\mathrm{N(a)}}-E_{\mathrm{N}_2})\theta_{\mathrm{N}} \simeq (160\sim215)\theta_{\mathrm{N}} \; [\text{kJ mol}^{-1}]$$

$\gamma(\mathrm{N})=\gamma^{\frac{1}{2}}$(素反応1が律速)のとき,アンモニア合成($N_2+3H_2 \rightleftarrows 2NH_3$)の反応熱を ΔH とすれば[†] 700 K付近では

$$\begin{aligned}2RT^2\frac{\mathrm{d}\ln \theta_0}{\mathrm{d}T} &\simeq \{-(2E_{\mathrm{N(a)}}-E_{\mathrm{N}_2})+\Delta H\}\theta_{\mathrm{N}} \\ &\simeq \{(160\sim215)-105\}\theta_{\mathrm{N}} = (55\sim110)\theta_{\mathrm{N}} \end{aligned} \tag{9・52}$$

である.すなわち,(9・50)式の第2項は最大で $160\sim215$,素反応1が律速のとき $55\sim110$ kJ mol^{-1} の活性化エネルギーを与える.

つぎに,堀内理論によれば $N_2:H_2=1:3$ 混合ガスであれば全圧に関係なく素反応1がつねに律速であることを結論できることを示そう.(9・47)式が成立しているから,(9・46)式の素反応速度の比は(9・53)式となる.

[†] $\Delta H = RT^2\dfrac{\mathrm{d}\ln K_P}{\mathrm{d}T}$ は 700 K 付近では -105 kJ mol^{-1},298 K では -92 kJ mol^{-1} である.

9・4 表面素反応と反応経路：堀内理論

$$\left.\begin{aligned}
\frac{\vec{v}_1}{\vec{v}_{2/3}} &= 3\frac{q_1^{\ddagger}}{q_2^{\ddagger}}\frac{\lambda_{N_2}}{\lambda_{H_2}} \qquad \frac{\vec{v}_1}{\vec{v}_{3,e}/2} = 2\frac{q_1^{\ddagger}\lambda_{N_2}}{q_3^{\ddagger}\lambda_{N_2}^{\frac{1}{2}}\lambda_{H_2}^{\frac{1}{2}}} = 2\frac{q_1^{\ddagger}}{q_3^{\ddagger}}\left(\frac{\lambda_{N_2}}{\lambda_{H_2}}\right)^{\frac{1}{2}} \\
\lambda_{N_2} &= \frac{P_{N_2}}{q_{N_2}°k_B T}\exp\left(\frac{E_{N_2}}{RT}\right) \qquad \lambda_{H_2} = \frac{P_{H_2}}{q_{H_2}°k_B T}\exp\left(\frac{E_{H_2}}{RT}\right) \\
q_1^{\ddagger} &= \exp\left(\frac{-E_1^{\ddagger}}{RT}\right) \qquad q_2^{\ddagger} = \exp\left(\frac{-E_2^{\ddagger}}{RT}\right) \qquad q_3^{\ddagger} = \exp\left(\frac{-E_3^{\ddagger}}{RT}\right)
\end{aligned}\right\} \quad (9\cdot53)$$

$q_{N_2}°$, $q_{H_2}°$ はエネルギー部分を除いた分子分配関数である．臨界系の運動は振動のみであるから，分子分配関数 $q_1^{\ddagger}$, $q_2^{\ddagger}$, $q_3^{\ddagger}$ は最低エネルギーを $E_1^{\ddagger}$, $E_2^{\ddagger}$, $E_3^{\ddagger}$ とすれば上式となり，Ertl の結果，$E_1^{\ddagger}-E_{N_2}=-14.6$, $E_2^{\ddagger}-E_{H_2}=0$, $E_3^{\ddagger}-\frac{1}{2}(E_{N_2}+E_{H_2})=-132〔\text{kJ mol}^{-1}〕$ を用いれば，723 K ではつぎのようになる†．

$$\left.\begin{aligned}
\frac{\vec{v}_1}{\vec{v}_{2/3}} &= 1.03\times10^{-2}\exp\left(\frac{14\text{ kJ}}{RT}\right) \simeq 0.117 \\
\frac{\vec{v}_1}{\vec{v}_{3,e}/2} &= 0.117\exp\left(\frac{-117\text{ kJ}}{RT}\right) \simeq 4.09\times10^{-10}
\end{aligned}\right\} \quad (9\cdot54)$$

したがって素反応 1 が律速である．

素反応 1 が律速であるとき $(\gamma(N)=\gamma^{\frac{1}{2}})$ の $(9\cdot51)$ 式をつぎのように近似する．

$$\begin{aligned}
\theta_0^2 &= (1+q_{N(a)}\lambda_{NH_3}\lambda_{H_2}^{-\frac{3}{2}})^{-1} \\
&\simeq (q_{N(a)}^2\lambda_{NH_3}^2\lambda_{H_2}^{-3})^{-\alpha} \qquad (0<\alpha<1) \quad (9\cdot55)
\end{aligned}$$

これを律速素反応 1 に適用すれば，アンモニア合成反応速度は次式によって表される．

$$\begin{aligned}
\gamma &= \vec{v}_1(1-\gamma) \\
&= \frac{k_B T}{h}\left(\frac{1}{2}zN_s\right)q_1^{\ddagger}\lambda_{N_2}(q_{N(a)}^2\lambda_{NH_3}^2\lambda_{H_2}^{-3})^{-\alpha} \\
&\quad -\frac{k_B T}{h}\left(\frac{1}{2}zN_s\right)q_1^{\ddagger}(q_{N(a)}^{-2\alpha})(\lambda_{NH_3}^2\lambda_{H_2}^{-3})^{1-\alpha} \quad (9\cdot56)
\end{aligned}$$

$(9\cdot56)$ 式が Temkin 理論の速度式 $(9\cdot24)$ にほかならない．

---

† m を質量，分子分配関数の回転部分を T/Θ_r，振動部分を 1 としてつねにつぎの関係がある．

$$\frac{q_{H_2}°}{q_{N_2}°} = \left(\frac{m_{H_2}}{m_{N_2}}\right)^{\frac{3}{2}}\frac{\Theta_{r,N_2}}{\Theta_{r,H_2}} = 1.03\times10^{-2}$$

10

触媒反応, 酵素反応

10・1 触媒の定義: Liebig と Ostwald

　Ostwald(オストワルド)のノーベル化学賞受賞 (1909) は，彼の"触媒の定義"の功績によるものである．その定義はつぎの2行で表現された．

　Ein Katalysator ist jeder Stoff, der, ohne im Endprodukt einer chemischen Reaktion zu erscheinen, ihre Geschwindigkeit verändert.
Wilhelm Ostwald (1901)

"触媒とは，化学反応の最終生成物に現れることなく，その反応の速度を変化させる物質である"と訳せる．この定義は現在でも無修正で通用しており，教科書にもよく述べられている．この定義によって触媒研究は軌道に乗り現在に至ったと評価すべき画期的なものであるが，1900年当時の混乱していた触媒研究を反映した独特の表現となっており，現在ではややわかりにくい．当時流行していたのは Liebig (リービッヒ) の説，"触媒はその原子振動によって化学反応を起こさせる物質である"であった．その原子振動の本性を確かめるのでなく，"この触媒が有効なのはその原子振動が有効なためである"といった議論が横行していたという．特に"原子振動が化学反応を起こさせる"は，平衡系に対しても触媒がはたらくとの誤解を招いていた．Ostwald の定義が，触媒は平衡にある化学反応系に反応を**起こさせる**エネルギーを供給するものではないことを強く主張した表現となっているのはこのためである．("反応生成物に現れない"とは平衡に関与しない，という意味である)．Ostwald は，この定義によって，平衡を変え

ることにより速度変化をもたらす溶媒や熱を触媒と区別し，触媒反応の速度自体を研究することによってその作用を明らかにすべきだということを主張したのである．したがって，Ostwald の定義は触媒自体の積極的意義を明確にしたものではない．現在ではつぎの観点から触媒作用を定義する．

10・2　触媒反応の経路

　気相，溶液相（均一系），気体-固体表面（不均一系）の区別なく触媒反応はつぎの反応経路をもつ．

$$A + K \xrightarrow{k_1} AK \tag{10・1}$$

$$AK \xrightarrow{k_2} B + K \tag{10・2}$$

K は触媒であり，進行している反応は

$$A \longrightarrow B \tag{10・3}$$

である．最終素反応(10・2)が起こる以前に反応中間体 AK はさまざまな素反応を経るが，ここでは簡単のために省略してある．進行している反応 (10・3) 式からみると K は生成物 B に含まれていないが，速度に影響を与えていることは明らかである．(10・3)式の反応が速度 v_0 で進行する条件で K を加えたとすると，(10・1)式と (10・2)式の反応が進行する．後者の反応の速度を v_K としたとき

$$v_K \ll v_0 \tag{10・4}$$

ならば反応速度は v_0 のままで触媒の影響は存在しない．逆の場合

$$v_K \gg v_0 \tag{10・5}$$

に限り，反応は (10・1) と (10・2)式によって進行する．したがって，**触媒の作用は加速であって減速ではない**．Ostwald の定義では"速度に影響を与える物質"となっているので，正確を期して加速する物質を正触媒，減速する物質を負触媒という教科書があるがナンセンスである．減速が起こるのは v_K で進行している触媒反応に触媒 K の作用を阻害する物質を添加した場合である．そのような物質は阻害物質（触媒毒）である．触媒作用が顕著なのは偽平衡（p.15 参照）状態，すなわち大きな活性化エネルギーのために反応が進行しない状態（$v_0=0$）である．この場合に触媒がはたらくと反応が進み，あたかも平衡系に反応を起こさせるようにみえるが，そうではない．反応が進むのは (10・1)，(10・2)式のように**触媒の関与する新しい反応経路が実現するからである**．

さて，触媒は少量でも十分に有効である場合が一般的である．したがって (10・1)，(10・2)式の反応中間体 AK は，A や B に比べてごく少量であるから，定常状態にあるとして取扱う（定常状態近似法 §4・2 参照）ことができる．触媒反応とその逆反応とは臨界系が同一であるから，**触媒は正反応と逆反応の両方を加速する．** アンモニア合成反応は鉄触媒による不均一系触媒反応の典型であり，その詳細は前章に述べた表面反応である．均一系（気相，溶液相）触媒反応には 7，8 章で述べた速度論が適用できる．一方，つぎに述べる酵素反応は独特な速度挙動を示し，特別な速度論が必要である．

❏ **問 題** アンモニア合成反応の触媒性能の比較のために同じ触媒をアンモニア分解反応に使用してみることがある．有効だろうか？

[解 答] 有効である．p.16 の問題と解答からわかるように，たとえば，450 ℃，全圧 100 bar であれば分解反応も合成反応も $N_2 : H_2 : NH_3 = 0.21 : 0.62 : 0.17$ の平衡に達するまで反応が進行する．反応経路は同一であり，分解反応は逆方向に起こる．律速的素反応が同一であるから合成反応速度を大にする触媒は分解反応速度を大にする．

10・3 酵 素 反 応

最近の生物化学の進歩に伴い，酵素反応の研究は分子論的レベルで進んでおり，速度論的にもきわめて重要な地位にある．酵素反応は触媒反応の一種であるが，1) 独特な速度則が成立する，2) ほかの触媒反応に比べてはるかに高速であり，しかも選択性（決まった反応にしか酵素がはたらかない）が高い，3) 酵素は高分子である，といった特殊性を備えている．

酵素（enzyme）は高性能触媒であって，低濃度で反応は十分高速である．ふつう $10^{-8} \sim 10^{-10}$ [mol dm^{-3}] 程度でも十分測定できる反応速度を与える．酵素の役割は反応原系（基質 substrate という）と複合体を生成することにある．

酵素を E，基質を S，複合体を X，生成物を P と書けば，簡単な場合には，

$$E + S \underset{\overleftarrow{k_1}}{\overset{\overrightarrow{k_1}}{\rightleftarrows}} X \underset{\overleftarrow{k_2}}{\overset{\overrightarrow{k_2}}{\rightleftarrows}} E + P \tag{10・6}$$

である．酵素はきわめて低濃度であるから，基質濃度 [S] の変化に比べて複合体濃度 [X] は変化しない，すなわち定常状態近似が適用できるから，

10・3 酵素反応

$$-\frac{d[X]}{dt} = (\vec{k}_1 + \vec{k}_2)[X] - \vec{k}_1[E][S] - \overleftarrow{k}_2[E][P] = 0 \quad (10・7)$$

E, S の初濃度をそれぞれ $[E]_0$, $[S]_0$ と書けば,

$$\left.\begin{array}{l} [E]_0 = [E] + [X] \\ [S]_0 = [S] + [P] \end{array}\right\} \quad (10・8)$$

したがって,

$$-\frac{d[S]}{dt} = \frac{d[P]}{dt} = \vec{k}_1[E][S] - \overleftarrow{k}_1[X] \quad (10・9)$$

$(10・7) \sim (10・9)$ 式より,

$$-\frac{d[S]}{dt} = \frac{(V_m/K_m)[S] - (V_P/K_P)[P]}{1 + ([S]/K_m) + ([P]/K_P)} \quad (10・10)$$

ただし,

$$V_m = \vec{k}_2[E]_0$$
$$V_P = \overleftarrow{k}_1[E]_0$$
$$K_m = \frac{\overleftarrow{k}_1 + \vec{k}_2}{\vec{k}_1}$$
$$K_P = \frac{\overleftarrow{k}_1 + \vec{k}_2}{\overleftarrow{k}_2}$$

$[P]=0$ における速度, すなわち初速度 r_0 に対しては, $(10・10)$ 式で $[P]=0$ とおいて

$$r_0 = \frac{V_m[S]}{[S] + K_m} = \frac{V_m}{1 + (K_m/[S])} \quad (10・11)$$

が成立する. $[S] \to \infty$ で $r_0 \to V_m$ (最大速度), $r_0 = V_m/2$ のとき $[S] = K_m$ という関係がある.

$(10・11)$ 式の変形,

$$\frac{1}{r_0} = \frac{1}{V_m} + \frac{K_m}{V_m}\left(\frac{1}{[S]}\right) \quad (10・12)$$

を用いて $(10・11)$ 式が成立しているかどうかをチェックすることができる. $[S]^{-1}$ に対する r_0^{-1} をプロットすると, $(10・11)$ 式が成立していれば, 正の切片を有する直線となる. こう配と切片とより, V_m と K_m が決まる. 以上の取扱いは実験結果をよく説明しうる. これが Michaelis-Menten (ミカエリス-メンテン) (1913) の理論である. $(10・11)$ 式を**ミカエリス-メンテン式**, K_m を**ミカエ**

リス定数とよぶ．(10・12)式を提案者 Lineweaver(ラインウィーバー) と Burk (バーク)(1934) の名を冠してよぶ場合もある．

以上の取扱いは，

$$E + S \underset{\overleftarrow{k_1}}{\overset{\overrightarrow{k_1}}{\rightleftharpoons}} X_1 \underset{\overleftarrow{k_2}}{\overset{\overrightarrow{k_2}}{\rightleftharpoons}} X_2 \underset{\overleftarrow{k_3}}{\overset{\overrightarrow{k_3}}{\rightleftharpoons}} E + P \tag{10・13}$$

に対しても (10・11) 式と同形の速度式を与える．ただし，

$$K_m = \frac{\overrightarrow{k_2}\overrightarrow{k_3} + \overleftarrow{k_1}\overrightarrow{k_3} + \overleftarrow{k_1}\overleftarrow{k_2}}{\overrightarrow{k_1}(\overleftarrow{k_2} + \overrightarrow{k_2} + \overrightarrow{k_3})} \tag{10・14}$$

のように定数の内容は変わる．このことは，速度式からだけでは (10・6)式と (10・13)式のどちらであるかを区別することはできないことを示している．

酵素は特定物質に対してきわめて敏感である．酵素と結合し，酵素の有効濃度を減少させる物質を **阻害剤** (inhibitor) という．阻害剤を I とすれば，一般に平衡

$$E + I \rightleftharpoons EI \tag{10・15}$$

が成立するものとして取扱うことができる．(10・15)式の平衡定数を K_I とすれば，阻害剤存在下の酵素反応の初速度は，

$$r_0 = \frac{V_m}{1 + (K_m/[S])(1 + K_I[I])} \tag{10・16}$$

によって表される．阻害剤の使用は酵素反応の研究に有効である．

速度の諸定数の概略をつぎのフマラーゼ反応について表 10・1 に示す．

フマル酸 + H_2O ⇌(フマラーゼ) L-リンゴ酸

表 10・1 フマラーゼ反応における諸定数の活性化エネルギー〔kJ mol^{-1}〕

$V_m/[E]_0$	34
$V_P/[E]_0$	58.2
K_m	12
K_P	17

$V_m/[E]_0 = 10,000$ 〔s^{-1}〕

10・3 酵素反応

酵素反応の経路 実際の反応経路はより複雑なものであろうが，酵素反応の経路はつぎの三つの典型に分類されている．

$$\text{反応} \quad A + B \xrightleftharpoons{E} C + D$$

I　　$A + E \rightleftharpoons EA$

$EA + B \rightleftharpoons X_1 \rightleftharpoons ED + C$

$ED \rightleftharpoons E + D$

II　　$A + E \rightleftharpoons X_1 \rightleftharpoons C + X_2$

$X_2 + B \rightleftharpoons X_1 \rightleftharpoons D + E$

III　　$A + E \rightleftharpoons EA$

$B + E \rightleftharpoons EB$

$EA + B \rightleftharpoons X_1 \rightleftharpoons EC + D$ （または $ED + C$）

$EB + A \rightleftharpoons X_1 \rightleftharpoons EC + D$ （または $ED + C$）

$EC \rightleftharpoons E + C$

$ED \rightleftharpoons E + D$

以上の典型的反応経路に含まれている素反応は，質的につぎの3種類に分類できる．

1) 酵素と基質とからの複合体生成
2) 構造変化
3) 電子，プロトンの移行

流通法や温度ジャンプ法の開発によって高速素反応1)の速度定数がかなり測定されている(§3・1, 8・2参照)．結果を表10・2に掲げる．

素反応2)は単分子反応であるから，頻度因子は $10^{13} \sim 10^{14} [\text{s}^{-1}]$ である．したがって，活性化エネルギーがほとんどゼロと考えられる場合にはきわめて高速である．分子内の水素結合の切断は $10^{-7} [\text{s}]$ 程度で起こる．素反応3)は，レーザーせん光法の開発により詳細な解析が可能となってきた．酵素反応についての測定例はまだないが，光合成細菌の一種(*Rhodopseudomonas viridis*)について，光反応の初期電子移動過程が明らかにされている．それによると，光励起されたバクテリオクロロフィルからフェオフィチンへの電子移動速度は 10^{12}s^{-1} と測定されている．素反応3)のプロトン移行にはつぎの形が多い．

表 10・2 酵素-基質の結合素反応の正逆速度定数 ($\vec{k}, \overleftarrow{k}$)

酵素または タンパク質	基 質	$\vec{k}$ $[dm^3\,mol^{-1}\,s^{-1}]$	$\overleftarrow{k}$ $[s^{-1}]$	方 法
フマラーゼ	フマル酸	$>10^9$	$>4.5\times10^4$	SS
フマラーゼ	L-リンゴ酸	$>10^9$	$>4\times10^4$	SS
ウレアーゼ	尿 素	$>5\times10^6$		SS
カタラーゼ	H_2O_2	3.5×10^7		F
ペルオキシダーゼ	H_2O_2	9×10^6	>1.4	F
AAT	NH_2OH	3.7×10^6	38	T-j
AAT	オキサロ酢酸	7×10^7	1.4×10^2	T-j
リボヌクレアーゼ	シチジン 3′-リン酸	$\geq 4\times10^8$	4×10^3	T-j
$Hb(O_2)_3$	O_2	2×10^7	36	F

AAT: アスパラギン酸アミノトランスフェラーゼ, Hb: ヘモグロビン,
SS: 定常状態法, F: 流通法, T-j: 温度ジャンプ法.

$$I_mH^+ \longrightarrow I_m + H^+ \qquad k = 1.5\times10^3\,[s^{-1}]$$
$$I_m + H_2O \longrightarrow I_mH^+ + OH^- \qquad k' = 2.3\times10^3\,[s^{-1}]$$

I_m はヒスチジンのイミダゾール基を示す. Eigen(アイゲン)らによるプロトン移行,中和の速度定数の測定値は $\vec{k} \simeq 10^{10} \sim 10^{11}\,[dm^3\,mol^{-1}\,s^{-1}]$ であり, pH=7 付近であるとすれば,上記プロトン移行速度は $10^3 \sim 10^4\,[s^{-1}]$ となる.

11

重 合 反 応

11・1 重合反応

簡単な分子が繰返し連結して**高分子**（polymer）を生成する反応を，**重合**（polymerization）という．そのような繰返し連結を起こす最初の状態は，**開始**（initiation）とよばれる反応によって形成される特殊な状態である．この特殊な状態は分子を繰返し連結する．それを**生長**（propagation）反応という．生長反応によって高分子をつくる簡単な分子を重合反応の**モノマー**（monomer）とよぶ．

モノマーを M と書くと，生長反応は一般式として，

$$M_n^* + M \xrightarrow{k_p} M_{n+1}^* \qquad n \geq 1 \qquad (11 \cdot 1)$$

によって表すことができる．この生長反応が起こりうる活性状態 M_n^* を**重合中心**（polymerization center）または**生長鎖**（growing chain）とよぶ．重合中心の最小単位は M_1^* であると考えられており，M_1^* を与える反応が開始反応である．

ラジカル R· を与える物質（開始剤）R_2（過酸化物やアゾ化合物）を，モノマーに添加して重合を起こさせる場合（**ラジカル重合**という）

$$\text{ラジカル生成} \qquad R_2 \xrightarrow{k_d} 2\,R\cdot \qquad (11 \cdot 2)$$

$$\text{開 始} \qquad R\cdot + M \xrightarrow{k_i} RM_1\cdot (= M_1^*) \qquad (11 \cdot 3)$$

の反応を経る．ここに生成した $RM_1 \cdot$ が M_1^* である．重合中心の失活を**停止** (termination) とよぶ．失活には会合反応

$$M_n^* + M_m^* \xrightarrow{k_t} M_{n+m} \qquad (11\cdot 4)$$

あるいは不均化反応

$$M_n^* + M_m^* \xrightarrow{k_t} M_{n'} + M_{m'} \qquad (11\cdot 5)$$

などがある．重合中心がモノマーその他と

$$M_n^* + M \xrightarrow{k_{tr}} M_1^* + M_n \qquad (11\cdot 6)$$

のごとく変化することを**移行**（transfer）という．

重合中心は最終的には失活してしまうが，それまでの間に数百，数千個のモノマーを生成物（高分子）に変えるから触媒である．したがって，その母体である開始剤を触媒とよんでも差し支えない（厳密に区別する人もいるが）．ラジカル開始剤の代わりに，ブチルリチウム BuLi を用いると開始反応は

$$\mathrm{BuLi} + \mathrm{CH_2{=}CH \atop |\ R} \xrightarrow{k_1} \mathrm{Bu{-}CH_2{-}CH^- \atop \ \ \ \ \ \ \ \ \ \ |\ R} \cdots \mathrm{Li^+}$$

となり，活性状態では $CH_2=CH$ の場所が負荷電となる．このような場合を**アニオン重合**（anionic polymerization）という．$AlCl_3$ などを用いると，活性状態での $CH_2=CH$ の場所は正荷電となる．この場合を**カチオン重合**（cationic polymerization）という．

四塩化チタン（ヘプタン溶液）に有機アルミニウム化合物（たとえば $Al(C_2H_5)_3$, $Al(C_2H_5)_2Cl$）を組合わせて得られる固体触媒（系はスラリー（懸濁液）となる）は，枝分かれのない線状ポリエチレンを常温常圧で生成する†．発見者は Ziegler（チーグラー）(1953) である．ポリエチレンは結晶性がよく高密度である．四塩化チタンの代わりに三塩化チタン粉末を用いてポリプロピレン生成に成功したのは Natta（ナッタ）(1954) である．彼は，生成ポリプロピレンは大部分がメチル

---

† エチレンのラジカル重合は反応性が小さいため，1000 bar，150 ℃ を要する．Ziegler-Natta 触媒では常温常圧で進行する．

基が規則正しく配列したアイソタクチックポリプロピレン

$$\sim\sim-CH_2-\underset{|}{\overset{CH_3}{CH}}-CH_2-\underset{|}{\overset{CH_3}{CH}}-CH_2-\underset{|}{\overset{CH_3}{CH}}-\sim\sim$$

であることを発見した．これら生成ポリマーは結晶性が高く，汎用ポリマーとして大量に生産されている．この系統の重合を **Ziegler-Natta 重合** あるいは**立体規則性重合**（stereoregular polymerization）とよぶ．可溶性 Ziegler 触媒，たとえば四塩化バナジウムと有機アルミニウムの組合わせは低温（−65°C 以下）において，メチル基が交互に規則正しく配列したシンジオタクチックポリプロピレンを生成するが，さらに高速な可溶性 Kaminsky（カミンスキー）触媒(1980)はアイソタクチックポリマーを与える．

重合の操作的分類として，モノマー液滴を分散させてその内部で生成反応を行わせる**エマルション重合**（emulsion polymerization），モノマー液相内部で重合を行わせる**塊状重合**（bulk polymerization），溶媒中に固体触媒を懸濁させモノマーガスを吹込む**スラリー重合**(slurry polymerization)，**気相重合**などがある．

いずれにしても，重合の速度挙動は開始，移行，停止（失活）を伴う生長反応によって支配される．活性状態の差異および反応の起こる場所の物理的環境（重合操作により異なる）の相違が各重合の速度論的特徴となって現れる．

11・2 重合反応の速度論

重合反応速度に特徴的な観測量は，生成ポリマーの平均分子量や分子量分布，重合中心の平均寿命などである．これらの観測量を対象とした速度論形式は，ラジカル重合に拡張された気相連鎖反応の速度論（§7・3）の応用である．その形式はきわめて見事に整えられた有効な理論である．固体触媒重合には表面反応の速度論（9章）が適用される．

重 合 速 度　モノマーの消費速度〔$\mathrm{mol\ s^{-1}}$〕をもって重合速度を表す．開始反応によるモノマー消費は生長反応によるモノマー消費に比べて無視できるから，生長反応の速度をもって**重合速度**（polymerization rate）とする．ラジカル重合において生長反応(11・1)の速度は

$$R_\mathrm{p} = k_\mathrm{p}[\mathrm{M}]\left(\sum_{n=1}^{\infty}[\mathrm{M}_n^*]\right) \qquad (11・7)$$

によって与えられる．（ ）内は系内の重合中心総量〔mol〕，[M]はモノマー濃度〔mol dm^{-3}〕，k_p〔dm^3 mol^{-1} s^{-1}〕は生長速度定数である．均一系重合の場合には重合中心総量を濃度〔mol dm^{-3}〕で表す方が便利であり，そのさいには R_p の単位は〔mol dm^{-3} s^{-1}〕となる．固体触媒重合の場合には触媒単位量〔mol あるいは g〕当たりの重合中心量〔mol mol^{-1} あるいは mol g^{-1}〕をとり，触媒 1 mol あるいは 1 g 当たりのモノマー消費速度を R_p と表すことが多い．重合中心総量を C^* と記した次式

$$R_p = k_p [M] C^* \qquad (11\cdot 8)$$

が一般に重合速度式として知られており，k_p を重合速度定数とよぶ．

分子量 生成ポリマーが各種分子量のポリマーから成る場合が一般的である．モノマー n 個から成る（重合度 n の）ポリマーの分子量を M_n，ポリマー数を N_n とするとき，

$$\bar{P}_n = \bar{n} = \frac{\sum n N_n}{\sum N_n} \qquad \bar{M}_n = \frac{\sum M_n N_n}{\sum N_n} \qquad (11\cdot 9)$$

$\bar{P}_n$ を**数平均重合度**，$\bar{M}_n$ を**数平均分子量**とよぶ．これに対し，つぎの平均値 $\bar{P}_w$，$\bar{M}_w$ を**重量平均重合度**，**重量平均分子量**とよぶ．

$$\bar{P}_w = \overline{n^2} = \frac{\sum n^2 N_n}{\sum n N_n} \qquad \bar{M}_w = \frac{\sum M_n^2 N_n}{\sum M_n N_n} \qquad (11\cdot 10)$$

両重合度比，すなわち両平均分子量比として定義される分散度(polydispersity coefficient)

$$Q = \frac{\bar{P}_w}{\bar{P}_n} = \frac{\bar{M}_w}{\bar{M}_n} = \frac{\overline{n^2}}{(\bar{n})^2} \qquad (11\cdot 11)$$

は，ポリマーがすべて同一分子量である場合（単分散ポリマー）には 1，広範囲の分子量のポリマーから成っている場合には 1 よりも大きくなる．したがって，Q 値は分子量分布の尺度となる．分子量に関するこれらの諸量は実用的に重要であるとともに重合反応の速度解析に重要なデータである．

分子量分布の速度論 重合中心数はモノマー総量に比べきわめて微量であるから定常値にあるとみなすことができる（定常状態近似）．したがって (11・7) 式の R_p は一定であり

$$\frac{d\sum_{n=1}^{\infty}[M_n^*]}{dt} = 0 \qquad (11\cdot 12)$$

11・2 重合反応の速度論

である．**重合中に移行反応が存在しない場合**には，各重合中心 M_n^* について

$$\left.\begin{array}{l}\dfrac{d[M_n^*]}{dt} = k_p[M][M_{n-1}^*] - k_p[M][M_n^*] \\ \vdots \qquad\qquad \vdots \qquad\qquad \vdots \\ \dfrac{d[M_1^*]}{dt} = \qquad\qquad - k_p[M][M_1^*]\end{array}\right\} \quad (11\cdot13)$$

が成立し，各重合中心量 $[M_n^*]$（分子数単位とする）は時間的に変化している．この微分方程式を解くと[†1] **Poisson**(ポアソン)**分布**

$$\frac{[M_n^*]}{\sum_{n=1}^{\infty}[M_n^*]} = \frac{(k_p[M]t)^{n-1}}{(n-1)!}\exp(-k_p[M]t) \quad (n\geq 1) \quad (11\cdot14)$$

が得られる．(11・14)式を用いて数平均重合度 $\bar{P}_n$ を計算する[†2]と

$$\bar{P}_n = \frac{\sum n[M_n^*]}{\sum[M_n^*]} = k_p[M]t + 1 \quad (11\cdot15)$$

となる．高ポリマー生成を問題としているから $\bar{P}_n \gg 1$ であり，$k_p[M]t \gg 1$ である．重量平均重合度 $\bar{P}_w$ は

$$\bar{P}_w = \frac{\sum n^2[M_n^*]}{\sum n[M_n^*]} \simeq k_p[M]t \quad (11\cdot16)$$

となるから

$$Q = \frac{\bar{P}_w}{\bar{P}_n} = 1 \quad (11\cdot17)$$

となる．

重合中に移行反応が存在する場合には，移行速度定数を k_{tr} とすると (11・13)式は

$$\left.\begin{array}{l}\dfrac{d[M_n^*]}{dt} = k_p[M][M_{n-1}^*] - (k_p[M] + k_{tr}[M])[M_n^*] \\ \vdots \qquad\qquad \vdots \qquad\qquad \vdots \\ \dfrac{d[M_1^*]}{dt} = \qquad\qquad - (k_p[M] + k_{tr}[M])[M_1^*]\end{array}\right\} \quad (11\cdot18)$$

[†1] Laplace(ラプラス)変換を用いる解法がわかりやすい．数学教科書の常微分方程式の章をみよ．

[†2] $k_p[M]t \equiv \tau$ とおくと $\sum_{n=1}^{\infty}\dfrac{n\tau^{n-1}}{(n-1)!} = \dfrac{d}{d\tau}\left\{\sum_{n=1}^{\infty}\dfrac{\tau^n}{(n-1)!}\right\} = \dfrac{d}{d\tau}(\tau e^\tau) = (\tau+1)e^\tau$ となることを利用する．

となる。全移行速度を R_{tr} とすれば

$$R_{tr} = k_{tr}[M]\sum_{n=1}^{\infty}[M_n^*] \qquad (11\cdot 19)$$

となる。時刻 t（重合時間）における系内の重合度 n のポリマー数 $N_{n,t}$ は，分子数単位で表した $[M_n^*]_t$ と，移行反応によって生成した非活性ポリマー数 $[M_n]_t$ の和

$$N_{n,t} = [M_n^*]_t + [M_n]_t \qquad (11\cdot 20)$$

であり，

$$\frac{d[M_n]}{dt} = k_{tr}[M][M_n^*] \qquad (11\cdot 21)$$

である。したがって

$$N_{n,t} = [M_n^*]_t + k_{tr}[M]\int_0^t [M_n^*]dt \qquad (11\cdot 22)$$

となる。重合時間 t における全体のポリマー総数 $\sum_{n=1}^{\infty} N_{n,t}$ は

$$\sum_{n=1}^{\infty} N_{n,t} = \sum_{n=1}^{\infty}[M_n^*]_t + k_{tr}[M]\int_0^t \sum_{n=1}^{\infty}[M_n^*]dt \qquad (11\cdot 23)$$

となる。この時刻までに重合した総モノマー数は

$$\int_0^t R_p dt = k_p[M]\int_0^t \sum_{n=1}^{\infty}[M_n^*]dt \qquad (11\cdot 24)$$

ただし，$\sum[M_n^*]$ は t に依存しない一定値である．

(11・23)，(11・24)式より重合時間 t における数平均重合度 $\bar{P}_{n,t}$ は

$$\bar{P}_{n,t} = \frac{k_p[M]\sum[M_n^*]t}{\sum[M_n^*]_t + k_{tr}[M]\sum[M_n^*]t} \qquad (11\cdot 25)$$

となる。$t\simeq 0$ のときには移行反応が無視できるから (11・15)式と同形

$$\bar{P}_{n,t} \simeq k_p[M]t \qquad (11\cdot 26)$$

となる。重合時間 t で $\sum[M_n^*]_t \ll \sum[M_n]_t$，すなわち $k_{tr}[M]t \gg 1$ となると，$\bar{P}_{n,t}$ は一定値 $\bar{P}_{n,\infty}$

$$\bar{P}_{n,\infty} = \frac{k_p}{k_{tr}} \gg 1 \qquad (11\cdot 27)$$

となる。$\bar{P}_{n,t}$ が一定値となった状態は各 $[M_n^*]$ も一定値，すなわち定常状態 $d[M_n^*]/dt=0$ であるから (11・18)式に適用して

$$[\mathrm{M}_n{}^*] = \frac{k_\mathrm{p}}{k_\mathrm{p}+k_\mathrm{tr}}[\mathrm{M}_{n-1}{}^*]$$

$$= \left(\frac{1}{1+\beta}\right)^{n-1}[\mathrm{M}_1{}^*] \qquad \beta = \frac{k_\mathrm{tr}}{k_\mathrm{p}} \ll 1$$

これより $[\mathrm{M}_n{}^*]$ の"最も確からしい(most probable)"分布,

$$\frac{[\mathrm{M}_n{}^*]}{\sum_{n=1}^{\infty}[\mathrm{M}_n{}^*]} = \beta \mathrm{e}^{-n\beta} \qquad (11\cdot 28)$$

が得られる.これを Flory(フローリー)の分布という.

安定ポリマー数 $[\mathrm{M}_n]$ は $k_\mathrm{tr}[\mathrm{M}][\mathrm{M}_n{}^*]t$ であるから,上記 $[\mathrm{M}_n{}^*]$ の分布 (11・28)式はそのまま $[\mathrm{M}_n]$ の分布にあてはまる.したがって数平均重合度,重量平均重合度は (11・15),(11・16)式から

$$\bar{P}_\mathrm{n} = \frac{\sum n[\mathrm{M}_n{}^*]}{\sum [\mathrm{M}_n{}^*]} = 1 + \frac{1}{\beta} \approx \frac{1}{\beta}$$

$$\bar{P}_\mathrm{w} = \frac{\sum n^2[\mathrm{M}_n{}^*]}{\sum n[\mathrm{M}_n{}^*]} = 1 + \frac{2}{\beta} \approx \frac{2}{\beta}$$

となり,したがって分散度は

$$Q = \frac{\bar{P}_\mathrm{w}}{\bar{P}_\mathrm{n}} = 2 \qquad (11\cdot 29)$$

となる.

均一系(可溶性触媒)重合では Q は1か2であるが,固体触媒による重合では一般に分子量分布の幅が大きく Q 値は一般に 5~10 程度となる.分子量分布には対数正規分布[†]の形(Wesslau の分布)があてはまる.このような幅広い分布となる理由には (11・28)式の β が一定値でなく,1) 活性ポリマーが長くなると小さくなる,2) 固体表面の場所により異なる,3) 生成ポリマー量に依存して変化する,という3説がある.

重合中心総量の決定 (11・25)式は,重合中心総量 $\sum[\mathrm{M}_n{}^*](=C^*)$ の実験的決定に使用されている.(11・27)式を用いて (11・25)式をつぎのように

[†] $N_n/\sum N_n = \dfrac{1}{\sqrt{2\pi}\,\sigma n}\exp\left[-\dfrac{\{\ln(n/n_0)\}^2}{2\sigma^2}\right]$

平均 $\ln n_0$,標準偏差 σ の正規分布.$Q = \exp(\sigma^2)$

変形すると

$$\frac{1}{\bar{P}_{n,t}} = \frac{1}{\bar{P}_{n,\infty}} + \frac{1}{k_p[M]}\frac{1}{t} \qquad (11\cdot 30)$$

実測の数平均分子量 $\bar{M}_{n,t}$（モノマー分子量を M_0 として $\bar{M}_{n,t}=M_0\bar{P}_{n,t}$）の逆数と $1/t$ のプロットのこう配から $k_p[M]$ を求めることができる．これを重合速度 R_p と組合わせると C^* が求まる．もちろん，$\bar{P}_{n,\infty}$ と $k_p[M]$ とから移行速度定数 k_{tr} が求まる．

11・3 共重合反応の速度

2種類のモノマー A と B が同時に重合する場合を共重合（copolymerization）という．それぞれのモノマーの消費速度は

$$R_{p,A} = k_{p,AA}[M_A]\,C_A^* + k_{p,BA}[M_A]\,C_B^* \qquad (11\cdot 31)$$
$$R_{p,B} = k_{p,AB}[M_B]\,C_A^* + k_{p,BB}[M_B]\,C_B^* \qquad (11\cdot 32)$$

によって表される．C_A^*，C_B^* は活性末端モノマーが A，B である重合中心の数を示す．上式の各重合中心は異なるモノマーの挿入によって異なる重合中心に変化する．定常状態においては，

$$\frac{dC_A^*}{dt} = k_{p,BA}[M_A]\,C_B^* - k_{p,AB}[M_B]\,C_A^* = 0 \qquad (11\cdot 33)$$

が成立する．両重合速度の比は，生成ポリマーを構成する両モノマーの量比で表される．上式の定常条件と，(11・31)，(11・32)式を用いると

$$\frac{d[M_A]}{d[M_B]} = \left(\frac{[M_A]}{[M_B]}\right)\frac{r_1\dfrac{[M_A]}{[M_B]} + 1}{\dfrac{[M_A]}{[M_B]} + r_2} \qquad (11\cdot 34)$$

ただし，

$$r_1 = \frac{k_{p,AA}}{k_{p,AB}} \qquad r_2 = \frac{k_{p,BB}}{k_{p,BA}} \qquad (11\cdot 35)$$

であり，**モノマー反応性比**（monomer reactivity ratio）という．したがって，生成ポリマー中に組込まれるモノマー比は未反応モノマー濃度比 $[M_A]/[M_B]$ と

11・3 共重合反応の速度

これら反応性比とによって定まる．

$$r_1 r_2 = 1 \tag{11・36}$$

ならば，共重合式(11・34)は

$$\frac{d[M_A]}{d[M_B]} = r_1\left(\frac{[M_A]}{[M_B]}\right)$$

となり，生成ポリマーのモノマー増加比は未反応モノマー比に比例する．この場合を**理想共重合**あるいは**ランダム共重合**とよぶ．

$$r_1 = r_2 = 0 \tag{11・37}$$

の場合には

$$\frac{d[M_A]}{d[M_B]} = 1$$

であり，$C_A{}^*$ は M_B のみ，$C_B{}^*$ は M_A のみしか受入れない．この場合を**交互共重合**とよぶ．

$$r_1 > 1 \qquad r_2 > 1 \tag{11・38}$$

の場合には同種モノマーが連続して生長する傾向が強くなり，**ブロック共重合体**を形成する．特に，$r_1 \gg 1$，$r_2 \gg 1$ という場合には共重合ではなく，同種モノマーの重合体（ホモポリマー）の混合物が生成する．

以上のごとく共重合体の構造を決定する重要な因子 r_1, r_2 についての研究はラジカル共重合について最も詳細になされてきた．報告された実測値を表11・1に例示する．

表 11・1 ラジカル共重合 (60°C) の反応性比

M_A	M_B	r_1	r_2	$r_1 r_2$
スチレン	ブタジエン	0.78±0.01	1.39±0.03	1.08
スチレン	アクリロニトリル	0.4±0.05	0.04±0.04	0.02
スチレン	酢酸ビニル	55±10	0.01±0.01	0.55
酢酸ビニル	塩化ビニル	0.23	1.68	0.39

12

反応速度の経験則

12・1 反応速度の経験則

　反応速度研究から得られた経験則がいくつかある．それらは確立された理論とはいえないが，かなりもっともらしいものであり，研究手段によく使用されている．

　自由エネルギー直線関係　　Arrhenius（アレニウス）は平衡定数 K と速度定数 k のつぎの類似性から活性分子説を提案した（§5・1参照）．

$$RT^2 \frac{\mathrm{d}\ln K}{\mathrm{d}T} = \Delta H$$

$$RT^2 \frac{\mathrm{d}\ln k}{\mathrm{d}T} = E$$

K は平衡定数であるから反応に固有である．触媒を用いれば k は変わるが K は動かない．したがって同一の反応における K と k, ΔH と E についての相関関係が成立するとは理論的に考えにくい．しかし，実際に何らかの相関関係があるのではないだろうかとの予想から多くの実験が行われてきた．その結果まったく経験的にいくつかの相関関係が指摘されている．最も著名なものは **Hammett**（ハメット）**則**である．歴史的にはそれに **Brønsted**（ブレンステッド）**触媒則**が先行する．後述する**堀内-Polanyi**（ポラニ）**則**を含めてこれらは**自由エネルギー直線関係**（**LFER**, linear free energy relationship）と総称される経験則である．

12・1 反応速度の経験則

Brønsted 触媒則　H. S. Taylor(テイラー)(1914) は，酸 HA を触媒とする反応の速度定数 k_{HA} と酸 HA の電離定数 K_{HA} との間に，

$$k_{HA} \propto K_{HA}^{\frac{1}{2}} \quad (12 \cdot 1)$$

が成立する例を見いだした．後に Brønsted (1924) は，酸 HA のみでなく塩基 B を触媒とする場合についても成立する著名な触媒則，

$$\left.\begin{array}{l} k_{HA} = G_A(K_{HA})^\alpha \\ k'_B = G_B(K_B)^\beta \end{array}\right\} \quad (0<\alpha, \beta<1) \quad (12 \cdot 2)$$

をまとめた．G_A, G_B は定数である．α と β の値は 0 と 1 との間にある．$\alpha=0.5$ なる場合が Taylor の見いだした場合である．(12・2)式の両辺の対数をとると，

$$\ln k = \alpha \ln K + 定数 \quad (12 \cdot 3)$$

である．ところで§6・4に述べたように標準ギブズエネルギー $\Delta G°$ を用いると

$$K = \exp\left(-\frac{\Delta G°}{RT}\right)$$

であり，さらに，

$$k = \frac{k_B T}{h} \exp\left(-\frac{\Delta G^{\ddagger}}{RT}\right)$$

である．したがって (12・3)式は，

$$\Delta G^{\ddagger} = \alpha \Delta G° + 定数 \quad (12 \cdot 4)$$

と書くことができる．$\Delta G^{\ddagger}$ は反応の活性化ギブズエネルギーであるから，(12・4)式は二つのギブズエネルギーが直線関係にあることを示す．

Hammett 則　芳香族環のメタ，パラ置換基の差異に基づく k と K との変化の関係を示すのが Hammett (1936) の見いだした関係，

$$\log\left(\frac{k}{k_0}\right) = \rho\sigma \quad (12 \cdot 5)$$

$$\sigma = \log\left(\frac{K}{K_0}\right) \quad (12 \cdot 6)$$

である．ここで k_0 と K_0 はある反応を基準としたときの速度定数と平衡定数，ρ は反応定数とよばれ反応群に固有な定数，σ は置換基定数で置換基に固有な値であるとされている．(12・6)式を(12・5)式に代入すれば，(12・3)式と類似の関係，

$$\log k = \rho \log K + 定数 \quad (12 \cdot 7)$$

となる．ρ は α に相当するが，有機反応では前者は一般的に 0 と 1 との間にあるとはいえない．

オルト置換体や脂肪族の反応については，補正項を付け加えた **Taft**(タフト)式 (1956)，溶媒効果を表す Grunwald と Winstein の式 (1948) などがある．Hammett 則関係諸式の適用とその取扱いにあたっては，もっぱら置換基定数 σ に注意が向けられている．分子の官能基と反応性とに注意が払われるからであろう．

12・2　堀内 – Polanyi 則

堀内寿郎と M. Polanyi (1935) が反応ポテンシャル曲面を手がかりに考え出した経験則は広く使用されている．反応ポテンシャル曲面の臨界系を原系 (A 曲線) と終糸 (B 曲線) の交点であると簡易化して考える (図 12・1)．B 曲線

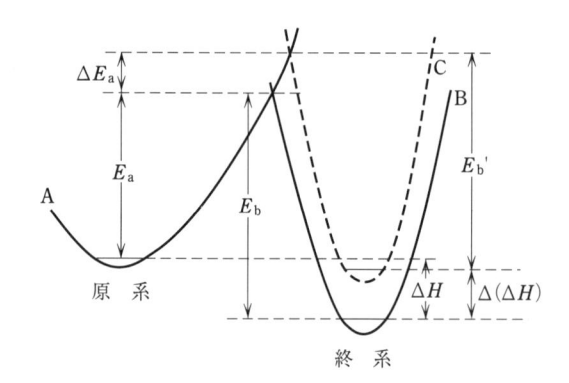

図 12・1　反応のポテンシャル図形

が上方に $\Delta(\Delta H)$ シフトして C 曲線となったとする．対応する交点 (臨界系) の上方シフト ΔE_a は

$$\Delta E_a = \alpha \cdot \Delta(\Delta H) \qquad 0 < \alpha < 1 \qquad (12・8)$$

となる．すなわち反応の原系からの活性化エネルギー E の増加分 ΔE_a は反応熱 (エネルギー) 増加分 $\Delta(\Delta H)$ の α 倍となる．逆反応の活性化エネルギーは，B 曲線の底から測った E_b であったのが C 曲線の底から測った E_b' に変化する．図 12・1 から

12・2 堀内 - Polanyi 則

$$E_b' + \Delta(\Delta H) = \Delta E_a + E_b \qquad (12\cdot 9)$$

したがってその差 ΔE_b は

$$\begin{aligned}
\Delta E_b &= E_b' - E_b \\
&= \alpha \cdot \Delta(\Delta H) - \Delta(\Delta H) \\
&= -(1-\alpha) \cdot \Delta(\Delta H) \qquad (12\cdot 10)
\end{aligned}$$

であるから逆反応（発熱反応）の活性化エネルギーは減少となる．α 値は交点付近のポテンシャル曲線に依存することになるが，図 12・1 のような場合には $\alpha \sim 0.5$ と考えてよい．これが堀内-Polanyi 則であり，自由エネルギー直線関係の解釈となる．

堀内-Polanyi 則は特に固体触媒反応の研究に用いられている．H_2 の解離吸着 (p. 83 参照) において，図 12・1 の原系を気相 H_2，終系を解離吸着 $2H(a)$ とする．金属によって吸着熱 (ΔH) が異なるから，吸着の活性化エネルギー E_a と脱離の活性化エネルギー E_b は上述のように変化することが期待されうる．オルト-パラ水素転換反応や H_2 と D_2 の交換反応は，金属触媒によって容易に進行する．

吸着が律速であれば吸着熱の大きい金属ほど反応は速く，脱離が律速であればその逆となる．気相 H_2 中に放電により生成した H 原子が金属表面に吸着後脱離して再結合する反応の速さを，反応効率（脱離反応の速度）で表示すると，図 12・2 に示すように反応効率と H_2 の金属への吸着熱 ΔH との間にこの関係が成

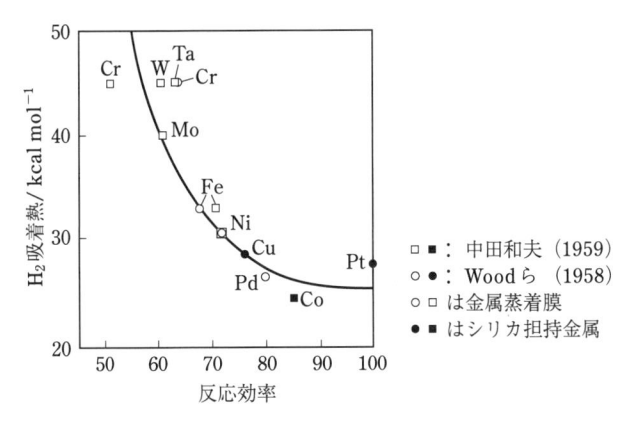

図 12・2 金属による水素原子再結合反応の速さ（反応効率）と水素ガス吸着熱との関係 [Wood ら (1958)，中田和夫 (1959)，G. C. Bond (1962)]

立している．有名なギ酸分解反応の結果（図 12・3）も同様の関係を示している．ここでは反応速度を同一分解速度を示す温度 T(K) で表し，吸着熱の代わりに金属のギ酸塩生成熱を用いている．

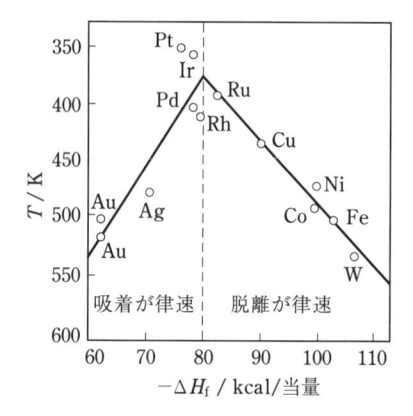

図 12・3 金属のギ酸塩生成熱 ΔH_f とギ酸分解活性 [Sachtler (1960)]

❏ **問　題**　反応経路 A → B → C のポテンシャル図形が図 12・4 であったとする．B のポテンシャルが Δ だけ下がったとき反応速度が小さくなった．律速素反応は A → B，B → C のどちらか．

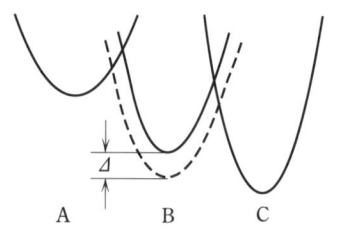

図 12・4　A → B → C の反応ポテンシャル図形

[**解　答**]　堀内-Polanyi 則を適用する．交点はすべて $\alpha\Delta$ だけ低下する．A → B の活性化エネルギーは $\alpha\Delta$ だけ減少するが，B → C の活性化エネルギーは B 自体が Δ だけ増加しているから $(1-\alpha)\Delta$ だけ増加となる．反応速度が小さくなったのであるから，活性化エネルギーが増加する．ゆえに B → C が律速素反応である．

12・3 補償効果

合金の組成を変えながら触媒金属の表面状態や触媒反応速度を観測すると,速度定数の活性化エネルギー E と頻度因子 A との間に, m, C を定数として

$$\log A = mE + C \tag{12・11}$$

という関係がしばしば成立する.多くは,活性化エネルギー E の $40\,\mathrm{kJ\,mol^{-1}}$ 程度の変化に対して $\log A$ の変化が 5〜6 程度の反応にこの関係が成立している.速度定数 k は

$$k = A\,\mathrm{e}^{-E/RT} \tag{1・6}$$

である.(12・11)式の関係から,E が増加しても A も増加するので速度定数への A, E の効果はかなり相殺される.そこで (12・11) 式の関係を**補償効果** (compensation effect) とよんでいる.オルト-パラ水素転換反応について Pt-Cu 合金組成を変えて得た結果を代表例として図 12・5 に示す.(a) は使用合金の組成と活性 ($\log k$, $182\,°\mathrm{C}$), (b) は補償効果を表す (12・11) 式の関係を示したものである.

図からわかるように,%Cu が 0 から 83.5% に変動するとき速度定数 k の変動は 10^{-1} であるが,A の変動は 10^{-4} であり,明らかに E の減少が A の減少を相殺している.逆にいえば,E が減少しても A も減少して k への効果を補償している.この経験則は前節の堀内-Polanyi 則とは相いれないが成立する場合があることも事実である.この経験則を説明しようとする試みはあるが,成功していない.

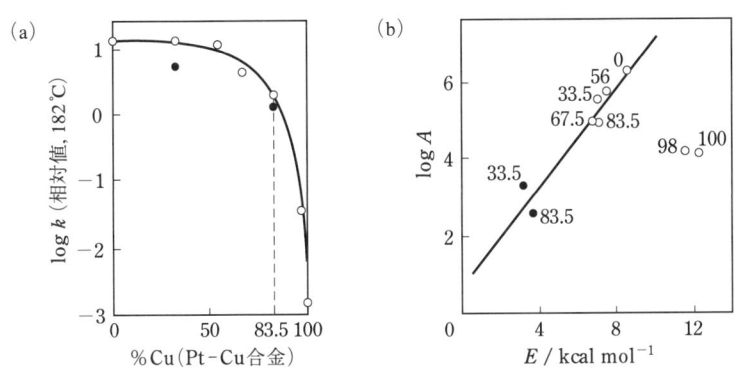

図 12・5 オルト-パラ水素転換反応.(a) 活性 ($\log k$) と Pt-Cu 合金組成, (b) 補償効果.数字は使用合金の組成 (%Cu), ● は規則配列合金 [G. C. Bond (1962)]

12・4　ポテンシャル曲面の Polanyi 則

分子線の交差法と計算化学の発展によってポテンシャル曲面の様子が明らかになってきた．J. Polanyi (1987) は，$H_2 + 2* \rightarrow 2H(a)$（$*$ は格子点）の反応において，図 12・6 のポテンシャル曲面上で臨界系が反応コースの手前にある (a) ときは表面への移行エネルギーが反応に必要であり，後方にある (b) ときは H_2 の振動エネルギーが必要であることを $A + BC \rightarrow AB + C$（気相発熱反応）によって示した．これを **Polanyi 則**という．

以上に述べた経験則は，純実験的なものから半理論的なものまでさまざまである．これらが将来どうなるかは予測しがたいが，研究に指針を与え反応メカニズムの考察に使用されている点を見逃すべきではない．

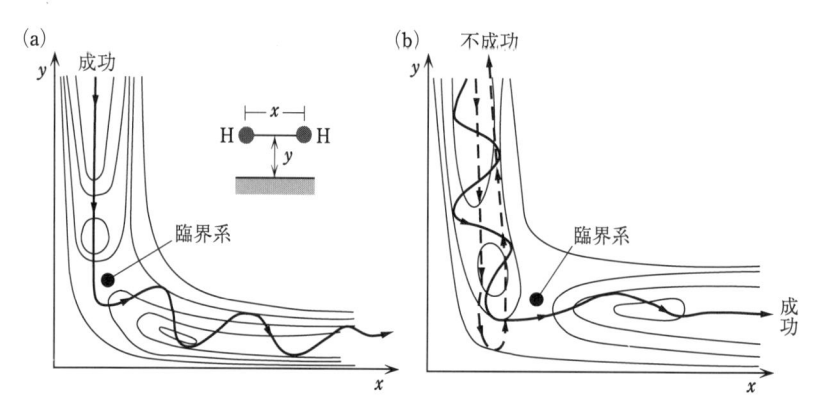

図 12・6　H_2 分子の解離吸着ポテンシャル．(a) 反応コースの手前に臨界系 (early barrier)，(b) 後方に臨界系 (late barrier)［Freund (1997) 総説より］

参 考 文 献

本書の用語は原則として下記によっている．
"文部省 学術用語集 化学編（増訂2版）"，日本化学会，南江堂（1986）．
"化学辞典"，大木道則，大沢利昭，田中元治，千原秀昭編，東京化学同人（1994）．
"岩波 理化学辞典（第5版）"，長倉三郎，井口洋夫，江沢 洋，岩村 秀，佐藤文隆，久保亮五編，岩波書店（1998）．

学生諸君のための教科書を以下にあげておく．利用しやすい邦書，和訳書をあげた．

反応速度論の基礎としての物理化学教科書

D. A. McQuarrie, J. D. Simon 著，千原秀昭，江口太郎，齋藤一弥訳，"マッカーリ・サイモン物理化学—分子論的アプローチ（上・下）"，東京化学同人（上: 1999, 下: 2000）; 上巻704ページ，下巻760ページ．副題のとおり，徹底した分子論的物理化学教科書である．上巻は分子論，下巻が気体から熱力学，相平衡，溶液，反応速度，表面となっており，現役研究者の野心作といってよい．

G. M. Barrow 著，大門 寛，堂免一成訳，"バーロー物理化学(第6版)（上・下）"，東京化学同人（1999）; 上巻522ページ，下巻552ページ．世界的に知れわたった物理化学教科書であり，絶えず改訂増補の努力を重ね洗練された内容となっている．熱力学から叙述する伝統的構成となっている．

P. W. Atkins 著，千原秀昭，稲葉 章訳，"アトキンス物理化学要論（第2版）"，東京化学同人（1998）; 全688ページ．よくまとまっており，読みやすい好著である．

P. W. Atkins 著，千原秀昭，中村亘男訳，"アトキンス物理化学（第6版）（上・下）"，東京化学同人（2001）．

R. A. Alberty 著，妹尾 学，黒田晴雄訳，"アルバーティ物理化学（第7版）（上・下）"，東京化学同人（1991）; 上巻556ページ，下巻492ページ．

参考文献

反応速度論の上級教科書

J. I. Steinfeld, J. S. Francisco, W. L. Hase 著，佐藤 伸訳，"化学動力学"，東京化学同人 (1995)；全528ページ．

幸田清一郎，"大学院講義物理化学"，'第II部反応'，近藤 保編，p. 199〜369，東京化学同人 (1997)．

"大学院物理化学（中）"，妹尾 学，広田 襄，田隅三生，岩澤康裕編，講談社 (1992)．

本書を書くにあたって参照した反応速度論の重要な文献を以下に示す．

第1章〜第3章

C. M. Guldberg, P. Waage 著，渡辺 啓，妹尾 学訳，"化学の原点 第II期3 化学熱力学"，'化学親和力について'，日本化学会編，p. 53〜64，東京大学出版会 (1976)．原論文は，'Uber die chemische Affinität', *J. Prakt. Chem.*, **19**, 69〜88 (1879)．

J. H. van't Hoff 著，"Etudes de Dynamic Chimique", Federik Muller & Co., Amsterdam (1884)．完訳本なし．Cohen (1895) による改訂版の英訳，Ewan (1896) による改訂版の英訳の一部邦訳は，松尾隆祐，妹尾 学訳，"化学の原点 第II期3 化学熱力学"，'化学動力学の研究'，日本化学会編，p. 113〜150，東京大学出版会 (1976)．

Th. De Donder 著，堤 和男，妹尾 学訳，"化学の原点 第II期3 化学熱力学"，'親和力'についての3論文，日本化学会編，p. 231〜248，東京大学出版会 (1976)．原論文は *Bull. Ac. Roy. de Belgique. Cl. des. Sc., 5e série*, **8**, 197〜205 (1922)； *Compt. Rend. Acad. Sci.*, **180**, 1334〜1337 (1925)； *Compt. Rend. Acad. Sci.*, **180**, 1922〜1924 (1925)．

第4章

J. Horiuti, M. Ikusima（堀内寿郎，生島正次）著，延与三知夫，慶伊富長訳，"化学の原点6 化学反応論"，'白金水素電極反応の機作'，日本化学会編，p. 111〜124，東京大学出版会 (1976)．原論文は，'The Mechanism of the Hydrogen Electrode Process on Platinum', *J. Imp. Acad. Japan*, **15**, 39〜44 (1939)．

第5章

慶伊富長，小野嘉夫，"活性化エネルギー（化学 One Point 12）"，全144ページ，共立出版 (1985)．

参考文献

S. Arrhenius 著，桑田敬治訳，"化学の原点 5 反応速度論"，'酸によるショ糖転化の反応速度について'，日本化学会編，p. 1～25，東京大学出版会（1975）．原論文は，'Uber die Reaktionsgeschwindigkeit bei der Inversion von Rohrzucker durch Säuren', Z. Phys. Chem., **4**, 226～248 (1889).

W. C. McC. Lewis 著，安盛岩雄訳，"化学の原点 5 反応速度論"，'触媒作用の研究—第九報 気相系の反応速度定数および平衡定数の絶対計算'，日本化学会編，p. 27～52，東京大学出版会（1975）．原論文は，'Studies in Catalysis. Part IX. The Calculation in Absolute Measure of Velocity Constants and Equilibrium Constants in Gaseous Systems', *J. Chem. Soc.*, **113**, 471～492 (1918).

第 6 章

K. J. Laidler 著，高石哲男訳，"化学反応速度論 I，II"，産業図書（I：1965，II：1966）；I 巻 244 ページ，II 巻 172 ページ．

第 7 章

F. A. Lindemann 著，天野 杲訳，"化学の原点 6 化学反応論"，'化学作用に関する放射説'，日本化学会編，p. 53～64，東京大学出版会（1976）．原論文は，'Discussion on the Radiation Theory of Chemical Action', *Trans. Faraday Soc.*, **17**, 598～599 (1922).

第 9 章

I. Langmuir 著，立花太郎訳，"化学の原点 7 界面化学"，'固体および液体の構造と基本的な性質 第 1 部 固体'，日本化学会編，p. 1～85，東京大学出版会（1975）．原論文は，'The Constitution and Fundamental Properties of Solids and Liquid. Part I. Solids', *J. Am. Chem. Soc.*, **38**, 2221～2295 (1916).

慶伊富長，"吸着（共立全書 157）"，共立出版（1965）；全 224 ページ．

第 10 章

斯波忠夫，慶伊富長，尾崎 萃，"触媒化学概論新版（共立全書 122）"，共立出版（1968）；全 346 ページ．

第 12 章

G. C. Bond, "Catalysis by Metals", Chap. 8, Academic Press (1962).

H.-J. Freund, "Handbook of Heterogeneous Catalysis", ed. by G. Ertl *et al.*, Vol. 3, p. 938, Wiley-VCH (1997).

実験データ集

"化学便覧基礎編（改訂 4 版）"，日本化学会編，丸善（1993）．

索 引

Wigner(ウィグナー) 63
Waage(ウォーゲ) 6
Urech 40

あ

Eigen(アイゲン) 75
Eyring(アイリング) 50, 52, 55, 56, 63, 78
アゾメタン
　――の分解反応 64
Ertl 91, 93
アニオン重合 102
RRKM 理論 65
Arrhenius(アレニウス) 38, 45, 47, 55, 110
　――の 2 点法 28
アレニウス式 27, 38, 41, 56, 58, 59
アレニウス説 56
アレニウスプロット 27, 82
鞍点 50, 53
アンモニア合成反応 10, 11, 16, 35, 90, 96
　――の Temkin 理論 85

い，う

イオン強度 74
イオン反応 73
　高速――速度 75
移行反応 105
1 次反応 30
1 次反応速度式 22
Eley(イーレー) 63
Eley-Rideal(イーレー-リディール)機構 84

え，お

エチレン(エテン)二量化 59
HI 生成反応 67
　――の速度式 7
HCl 生成反応 68
HBr 生成反応 67
　――の速度式 7
NH_3 → アンモニアをみよ
n 次反応速度式 23
N_2
　――のポテンシャル曲面 91
N_2O_5
　――の分解反応 64, 73
Evans(エバンス) 57, 63
エマルション重合 103
LEPS 法 51
LEP 法 50
LFER 110
塩化水素(HCl)生成反応 68
塩効果 75
エンタルピー
　活性化―― 58
エントロピー 14
　活性化―― 58, 59
大塚明郎 62, 66
Ostwald(オストワルド) 39, 94
オルト-パラ水素転換反応 49, 113, 115
温度ジャンプ法 75, 77, 78

か

開始(反応) 68, 101
塊状重合 103
kinetics 1
回分系 20
解離吸着
　水素の―― 83, 113, 116
解離反応速度 71
化学運動学 2
化学緩和法 36
化学吸着 34, 83
化学親和力 14, 33, 34, 37, 89
化学静力学 1
化学動力学 1
化学平衡
　――の統計力学表示 52
化学ポテンシャル 52
化学力学 1
化学量数 34, 89
化学量論係数 11, 26, 34, 36
　――の正負 13
　――の絶対値 12
可逆反応 30
拡散定数 46
カチオン重合 102
活性化エネルギー 48, 58, 59, 82, 115
　――の決め方 27
活性化エンタルピー 58
活性化エントロピー 58, 59
活性化ギブズエネルギー 58
活性錯合体 52, 55
　――と臨界系 53
　――の分子分配関数 53

活性錯合体理論 52, 59, 63
活性錯体 52
活性ショ糖説 41
活性分子 38, 47
——の衝突 43
活性分子衝突説 43
活性分子説 39, 40
活性ポリマー 107
Kassel 65
活動度係数 73
活 量 73
活量係数 73
Calvin(カルビン) 63
換算質量 44
緩 和 35
緩和型速度式 35, 36
緩和時間 35, 75, 79

き, く

擬1次速度式法 25
ギ酸分解反応 114
基 質 96, 99
希釈炎 62
——の実験 66
気相重合 103
気相素反応
——の速度データ 41, 42
気相2次反応 46
気相反応 41, 73
気体運動論 1
気体分子運動論 43
擬定常 32
ギブズエネルギー 57
 活性化—— 58
偽平衡 15, 95
逆反応
——の速度式 9
吸 着 83
 解離—— 83
 化学—— 34, 83
吸着式
 Frumkin-Temkin—— 85, 86, 88
 Langmuir—— 83, 86, 87
吸着速度論 84
吸着定数 83
吸着平衡 86

吸着率 83
共重合 108
——反応の速度 108
 交互—— 109
 ブロック——体 109
 ラジカル—— 109
 ランダム—— 109
 理想—— 109
Kirchhoff(キルヒホッフ) 80

Clausius(クラウジウス) 14
Christiansen(クリスチアンセン) 32
Guldberg(グルベルグ) 6
Grunwald と Winstein の式 112
Kröger 66

け, こ

K_C 15
K_P 11
chemical kinetics 1
原 系 47, 62, 112
 臨界系と——の平衡の仮定 62
工業反応速度論 2
光合成細菌 99
交互共重合 109
酵 素 96, 98, 99
酵素反応 96
——の経路 99
剛体球モデル 43, 48
高分子 101
五酸化二窒素(N_2O_5)
——の分解反応 64, 73
児玉信次郎 62

さ

酢酸エチル
 水酸化ナトリウムと——との反応の速度定数 39
佐藤 伸 51

酸-塩基反応
 可逆な——の速度定数 76
酸 素
 ——と水素の反応 68, 80
 速度の——分圧依存性 81
酸素水素混合ガス 80, 83
酸素水素爆鳴気 68
残存率 24
3分子反応 41
 ——の速度データ 43

し

質量作用の法則 5, 6
質量不変則 10, 11
ジブロモコハク酸
 ——の加水分解の速度定数 40
自由エネルギー直線関係 110
臭化水素(HBr)生成反応 67
 ——の速度式 7
終 系 47, 112
重合速度 103
重合中心 101〜103
重合中心数 104
重合中心総量 104, 107
重合度
 重量平均—— 104, 105, 107
 数平均—— 103〜107
 平均—— 107
重合反応 101
 ——の速度論 103
重量平均重合度 104, 105, 107
重量平均分子量 104
Spohr 40
Schwab 39
衝撃波 71, 72
詳細釣合いの原理 8
状態数 87
衝 突
 活性分子の—— 43
衝突状態 47
衝突数 43
衝突説 38, 45, 48
衝突断面積 67
衝突半径 48
衝突反応説 45, 46
衝突理論 59, 65

触媒
　——の定義　94
　——反応速度　115
　固体——重合　103
　固体——反応　113
　平衡と——　94
初速度　26
初速度式　27
初速度法　26
ショ糖の転化反応　40

す

水酸化ナトリウム
　酢酸エチルと——との反応の
　　速度定数　39
　モノクロロ酢酸ナトリウムと
　　——との反応の速度定数
　　40
水素
　——原子再結合反応　113
　——の解離吸着　83, 113, 116
　オルト-パラ——転換反応
　　49, 113, 115
　酸素と——の反応　68, 80
　速度の——分圧依存性　81
　ハロゲンと——の素反応の
　　定数　68
数平均重合度　104〜107
数平均分子量　104
Smoluchowski-Debye(スモル
　コフスキー-デバイ)の拡散
　衝突説　77
スラリー　102
スラリー重合　103
Slater(スレーター)　65

せ，そ

正逆素反応速度　32, 89
生成化学種　19
生長鎖　101
生長反応　101
　ラジカル重合の——　103
絶対活量　87, 89, 90

遷移状態理論　38, 41, 47, 65,
　　73, 88
　——の有効性と限界　59
せん光光分解法　76
槽型流通反応器　20
阻害剤　98
速度データ
　気相素反応の——　42
速度(反応速度もみよ)
　——解釈の理論　2
　——記述の方法　2, 41
　——制御の方法　2, 41
　——測定の方法　2, 41
　——の酸素分圧依存性　81
　——の水素分圧依存性　81
　開始反応の——　68
　逐次反応の——　30
　平均——　3
速度式　4
　HI 生成反応の——　7
　HBr 生成反応の——　7
　逆反応の——　9
　反応式と——　6
　反応中の——　27
　ホスゲン生成反応，逆反応の
　　実測——　7
速度則
　平衡付近の——　35
速度定数　4, 39〜41, 45, 82
　——と平衡定数　110
　可逆の酸-塩基反応の——
　　76
　酵素-基質の結合素反応
　　の——　100
速度データ
　気相素反応の——　41
　単分子反応の——　42
　2 分子反応の——　42
　3 分子反応の——　43
速度論
　気相反応の——　64
　吸着——　84
　酵素反応の——　96
　重合反応の——　103
　触媒反応の——　95
　表面反応の——　80
　分子量分布の——　104
　溶液反応の——　73
速度論的連鎖長　68, 69, 71

素反応　29, 38, 41
　——の理論　38
　正逆——速度　32
　ハロゲンと水素の——の定数
　　68
　表面——　88
　律速——　114
　律速——速度　33

た

脱離　83
田中一範　35
Taft(タフト)式　112
単分子吸着説　83
単分子反応　41, 64
　——の速度データ　42

ち，つ

逐次反応　29, 32
　——の速度　30
Ziegler(チーグラー)　102
Ziegler-Natta(チーグラー-
　ナッタ)重合　103
Ziegler-Natta(チーグラー-
　ナッタ)触媒　102
窒素(N_2)
　——のポテンシャル曲面　91
Chance(チャンス)　21
中性塩効果　75
中性塩添加効果　75
超高速反応　2
直鎖(状)連鎖反応　69
Temkin(チョムキン)理論
　85, 94

て，と

停止(反応)　68, 69, 102
定常状態近似　34, 65, 71, 89,
　　104
定常状態近似法　30, 31, 32, 96
定常濃度　31

索引

Davy(デイビー)　80
Taylor(テイラー)　63, 111
Debye-Hückel(デバイ-ヒュッケル)理論　74
Döbereiner(デーベライナー)　80
伝播反応　69
透過係数　60
統計力学表示　86
　　化学平衡の——　52
　　頻度因子の——　56
　　平衡定数の——　53
動力学　1
トラジェクトリー
　　反応(の)——　61
Tolman(トルマン)　45

な 行

Natta(ナッタ)　102
2次反応　23
　　気相——の立体因子　46
2次反応速度式　23
2点法　28, 59
2分子反応　41
　　——の速度データ　42
熱力学的駆動力
　　反応の——　15
熱力学表示
　　平衡定数の——　57
濃度
　　——の時間的変化　3
濃度平衡定数　15
　　平衡定数と——　73
Norrish(ノリッシュ)　76

は

爆発限界　69, 70
爆発反応　67
爆鳴気　69

Haber(ハーバー)　62
Haber研究所　62
Hammett(ハメット)則　110, 111
ハロゲン
　　——と水素の素反応の定数　68
Warder　39
半減期　25
半減期法　25
反応
　　——中の速度式　27
　　——の一般的定義式　12
　　——の原系　48
　　——の終系　48
　　——の定義　12
　　——の熱力学的駆動力　16
　　——の反応次数　4
　　——の反応速度　13
　　分子線による——の研究　66
反応化学種　19
反応機構　2
反応系
　　——の種類　20
　　——の熱力学　11
反応系滞留時間　21
反応経路　29, 38, 88, 95, 114
　　——の理論　29
反応工学　2
反応座標　54
反応式
　　——と速度式　6
反応次数　4, 5, 24, 41
反応進行度　10, 13, 19, 37
反応速度(速度もみよ)　4, 13
　　——の経験則　110
　　——の理論体系　38
　　熱力学的な——　19
反応速度式
　　——の積分形　22
　　1次——　22
　　2次——　23
　　n次——　23
反応速度論　79
　　——の目的　2
反応中間体　31
反応(の)トラジェクトリー　61
反応ポテンシャル曲面　49, 112
反応メカニズム　2, 116
反応率　24

ひ

ピコ秒　76
比速度　4
非補償熱　14
表面化学種　34
表面素反応　88
表面反応　80
表面不均一性説　88
Hinshelwood(ヒンシェルウッド)　65
頻度因子　5, 43, 45, 46, 56, 59, 60, 66, 115
　　——の上限　41
　　——の分圧表示と濃度表示　58

ふ

Faraday(ファラデー)　80
van't Hoff(ファント・ホッフ)　1, 39
フェムト秒　76
フェムト秒化学　3
福井謙一　63
複合反応　29
輻射　45
負触媒　95
Hood　40
物質収支　20
フマラーゼ反応　98
Frumkin-Temkin(フルムキン-チョムキン)吸着式　85, 86, 88
Brønsted(ブレンステッド)　74
Brønsted(ブレンステッド)触媒則　110, 111
ブロック共重合体　109
Flory(フローリー)の分布　107
分解反応
　　アゾメタンの熱——　64
　　N_2O_5の熱——　64, 73
　　ギ酸——　114
分散度　104, 107

索　引

分子線交差実験　67
分子線交差法　66, 116
分子分配関数　52, 54, 56, 60, 87, 89
　　活性錯合体の——　53
分子量
　　重量平均——　104
　　数平均——　104
　　平均——　103
分子量分布　103, 107
　　——の速度論　104
分枝連鎖反応　69, 71
分配関数　87

へ, ほ

平均重合度　107
　　重量——　105
平均速度　3
平均分子量　103
　　重量——　104
平衡
　　——と触媒　94
　　——付近の速度則　35
平衡速度　9
平衡組成
　　アンモニア合成の——　16
平衡定数　6, 37, 41
　　——の圧表示　11
　　——の統計力学表示　53
　　——の熱力学表示　57
　　速度定数と——　110
　　濃度——　15, 73
平衡濃度　8
並発反応　29
Hecht　40
Perrin(ペラン)　45, 64
Berzelius(ベルセリウス)　80
Herzfeld(ヘルツフェルド)　32
Berthelot(ベルテロー)　1
Berthollet(ベルトレー)　1
Poisson(ポアソン)分布　105
放　射　45
放射説　45, 64
補償効果　115

ホスゲン生成反応
　　——と逆反応の実測速度式　7
補正因子　59, 60
Porter(ポーター)　76
ポテンシャル曲面　116
　　アンモニア合成の——　91
　　反応——　112
Bodenstein(ボーデンシュタイン)　1, 32, 41, 43, 44
Polanyi(ポラニ), M.　32, 50, 57, 62, 63, 66
Polanyi(ポラニ), J.　63, 66, 116
Polanyi(ポラニ)則　116
堀内寿郎　34, 63, 88
堀内-Polanyi(ポラニ)則　110, 112, 114, 115
堀内理論　88
ポリエチレン　102
ポリプロピレン　102
ポリマー
　　活性——　107
　　汎用——　103
　　非活性——　106
ポンプ-プローブ法　76, 78

ま　行

Marcus(マーカス)　65
Mark(マーク)　62
Maxwell-Boltzmann(マクスウェル-ボルツマン)分布　43
McC. Lewis(マック・ルイス)　43, 44, 45, 56
ミカエリス定数　97
ミカエリス-メンテン式　97
無次元速度式　24
無分枝連鎖反応　69, 71
最も確からしい分布　107
モノクロロ酢酸
　　——の加水分解の速度定数　40
モノクロロ酢酸ナトリウム
　　——と水酸化ナトリウムとの反応の速度定数　40

モノマー　101
モノマー反応性比　108
鋲打ち機構　67
molecular dynamics　1

ゆ, よ

誘導期　72
溶液反応
　　——の速度論　73
　　高速——の流通反応器　21
ヨウ化水素(HI)生成反応　67
　　——の速度式　7
ヨウ化メチル
　　——とエトキシドの反応　40
溶媒和　78, 79

ら　行

Rice　65
ラジカル　101
ラジカル共重合　109
ラジカル重合　101
　　——の生長反応　103
Ramsberger　65
Langmuir(ラングミュア)　83
Langmuir(ラングミュア)吸着式　83, 86, 87
Langmuir-Hinshelwood(ラングミュア-ヒンシェルウッド)機構　84
Langevin(ランジュバン)　46
ランダム共重合　109
理想共重合　109
律速素反応　86, 114
律速段階　32, 33, 34
立体因子　46, 48, 60
立体規則性重合　103
Liebig(リービッヒ)　94
硫酸鉄(II)
　　——の塩素酸カリウムによる酸化　40
流通系　20

索　引

流通反応器
　　高速溶液反応の―― 21
　　槽型―― 20
臨界系　54, 56, 58, 93, 116
　　――と原系の平衡の仮定　62
　　活性錯合体と――　53
　　反応ポテンシャル曲面の――
　　　　　　112
　　表面素反応の――　89
　　溶液反応の――　74

臨界状態　49
臨界増加エネルギー　43, 45
Lindemann(リンデマン)　64
Lindemann(リンデマン)機構
　　　　　　65

Lewis(ルイス), G. N.　45
ルテニウム　79

レーザーせん光法　99

連鎖伝播反応　68
連鎖のキャリヤー　68
連鎖反応　67, 68
　　直線形――　69
　　分枝――　69, 71
　　無分枝――　69, 71
連続体モデル　78

London(ロンドン)　50
London 近似　51

慶 伊 富 長 (1920〜2007)
けい い とみ なが
1920 年 北海道滝川市に生まれる
1945 年 九州大学理学部 卒
元 北陸先端科学技術大学院大学 学長,
　国立沼津工業高等専門学校 学校長,
　東京工業大学工学部 教授
専攻 反応速度論,触媒化学,界面化学
理 学 博 士

反 応 速 度 論 (第3版)

© 2001

第1版 第1刷 1969年12月15日 発行
第2版 第1刷 1983年4月1日 発行
第3版 第1刷 2001年2月14日 発行
　　　 第7刷 2016年9月1日 発行

著　者　慶　伊　富　長
発行者　小　澤　美　奈　子
発　行　株式会社 東京化学同人
　　　　東京都文京区千石3-36-7(☎112-0011)
　　　　電話03-3946-5311・FAX03-3946-5317

印　刷　中央印刷株式会社
製　本　株式会社松岳社

ISBN 978-4-8079-0532-4
Printed in Japan
無断転載および複製物(コピー,電子
データなど)の配布,配信を禁じます.